“十二五”国家重点图书出版规划项目

数学文化小丛书

李大潜　主编

分　形

Fenxing

——颠覆传统的几何学

邱维元

高等教育出版社·北京

图书在版编目(CIP)数据

分形：颠覆传统的几何学/邱维元编.--北京：高等教育出版社,2016.3（2023.4重印）
（数学文化小丛书/李大潜主编.第3辑）
ISBN 978-7-04-044827-6

Ⅰ.①分… Ⅱ.①邱… Ⅲ.①分形学-普及读物 Ⅳ.①O415.5-49

中国版本图书馆CIP数据核字(2016)第025733号

项目策划 李艳馥 李蕊

策划编辑 李蕊 责任编辑 李茜 封面设计 张楠
版式设计 王艳红 插图绘制 杜晓丹 责任校对 刁丽丽
责任印制 存怡

出版发行 高等教育出版社
社址 北京市西城区德外大街4号
邮政编码 100120
印刷 中煤（北京）印务有限公司
开本 787mm×960mm 1/32
印张 3
字数 50千字
购书热线 010-58581118
咨询电话 400-810-0598
网址 http://www.hep.edu.cn
http://www.hep.com.cn
网上订购 http://www.hepmall.com.cn
http://www.hepmall.com
http://www.hepmall.cn
版次 2016年3月第1版
印次 2023年4月第9次印刷
定价 11.00元

物料号 44827-00

数学文化小丛书编委会

数学文化小丛书总序

整个数学的发展史是和人类物质文明和精神文明的发展史交融在一起的。数学不仅是一种精确的语言和工具、一门博大精深并应用广泛的科学，而且更是一种先进的文化。它在人类文明的进程中一直起着积极的推动作用，是人类文明的一个重要支柱。

要学好数学，不等于拼命做习题、背公式，而是要着重领会数学的思想方法和精神实质，了解数学在人类文明发展中所起的关键作用，自觉地接受数学文化的熏陶。只有这样，才能从根本上体现素质教育的要求，并为全民族思想文化素质的提高夯实基础。

鉴于目前充分认识到这一点的人还不多，更远未引起各方面足够的重视，很有必要在较大的范围内大力进行宣传、引导工作。本丛书正是在这样的背景下，本着弘扬和普及数学文化的宗旨而编辑出版的。

为了使包括中学生在内的广大读者都能有所收益，本丛书将着力精选那些对人类文明的发展起过重要作用、在深化人类对世界的认识或推动人类对世界的改造方面有某种里程碑意义的主题，由学有专长的学者执笔，抓住主要的线索和本质的内容，由浅入深并简明生动地向读者介绍数学文化的丰富内涵、数学文化史诗中一些重要的篇章以及古今中外一些著名数学家的优秀品质及历史功绩等内容。每个专题篇幅不长，并相对独立，以易于阅读、便于携带且尽可能降低书价为原则，有的专题单独成册，有些专题则联合成册。

希望广大读者能通过阅读这套丛书，走近数学、品味数学和理解数学，充分感受数学文化的魅力和作用，进一步打开视野、启迪心智，在今后的学习与工作中取得更出色的成绩。

李大潜

2005 年 12 月

目　录

传统的欧几里得几何的研究对象是直线段、三角形、圆、立方体、圆柱体等规则几何体, 微积分的运用使得几何研究可扩充到光滑的曲线、曲面等对象. 我们熟悉的人造物品大都使用这种规则或光滑的形状, 比如建筑、家具、汽车、飞机等. 但是在自然界和科学界中遇到的许多对象并非如此规则和光滑, 如参差的灌木、起伏的山峦、变幻的云彩等, 它们太过复杂和不规则, 难以用传统的几何形状来描述. 上世纪七八十年代, 一种新的几何学展现在我们面前, 这种几何非常适合描述和模拟大自然中这样的复杂和不规则对象, 这种几何称为**分形几何**. 它告诉我们描述这种不规则对象需要突破传统的观点, 同时, 这种看似复杂和不规则的对象常常可以通过对简单构件重复地进行简单的操作来实现. 本书将带你走入分形几何的奇妙世界, 领略其无穷的魅力.

一、从测量谈起

一般认为,几何学诞生于古希腊,欧几里得的《几何原本》集古希腊几何之大成,构建了公理化几何体系,一直被西方数学家奉为数学的圣经.不过,古希腊的几何却源自古埃及,古希腊的一些数学先驱都曾赴古埃及学习几何,而古埃及的几何则起源自土地测量.相传古埃及的尼罗河年年泛滥,洪水带来的淤泥使尼罗河两岸的土地异常肥沃,但也冲毁了土地原来的布局,需要对土地重新标界.法老派“拉绳者”对土地进行测量,以恢复土地原来的分划布局.在长期的测量过程中,古埃及人积累了丰富的几何知识,这成为西方几何学的源泉.事实上,英文的几何“geometry”一词就来源于古希腊文,其原意就是土地测量.

测量的基本要素是测量长度、面积、体积等,而长度的测量又是其中最基本的.古埃及“拉绳者”的主要工具是一根绳子,要测量两个界桩之间的距离,就在界桩间拉一根绳子.不过单单拉一根绳子是不够的,要知道绳子有多长,还需要有一个“长度单位”,然后将绳子和这个长度单位比较,看看绳子有多少个长度单位, 就可以知道绳子有多长. 在古代, 长度单位通常取自人们比较熟悉的东西的长度, 大多是自己身体的某个部位或者是和身体有关的常规活动的长度. 比如, 古埃及"拉绳者"用的长度单位叫"肘尺 (cubit)", 一肘大约是中指尖到手臂肘部的长度. 在我国, 传统上最常用的长度单位是"尺". 据考证, 在商周就已经有关于"尺"的记载, 也有考古实物发现,《大戴礼记 · 主言》和《孔子家语》就都有"布手知尺"说法, 就是说古代的一尺大约是食指和拇指张开两指尖间的长度. 篆体的"尺"字就形象地描绘出张开两指作度量的形状 (如图 1). 直到今天, 我们还可以看到以身体部位和动作为长度单位的痕迹. 比如成语"百步穿杨"就是以步长为单位,"丈夫"一词源于古时以成年男子身高为一丈, 而英、美等国所用的英尺仍然用英文 foot(脚) 来表示, 它源于一个脚掌的长度.

图 1　布手知尺[1]

有了一个长度单位, 我们就可以进行基本的长度测量了. 以我国传统的基本长度单位 “尺” 为例, 我们可以测量出两棵树之间距离有几尺, 也可以测量一条线段有几尺. 不过这样的测量是相当粗略的, 因为我们测量的对象往往并非正好是一尺的整数倍, 此时测出的长度只是一个近似值. 比如我们可能测得一条线段比 5 尺长一点, 但又不到 6 尺, 就只能知道该线段长度在 5 尺和 6 尺之间, 没法知道得更多. 为此, 还需要有更短的长度单位. 比 “尺” 更短的长度单位有 “寸”, 古时一寸为一指宽, 所谓 “布指知寸”, 现在规定一寸为一尺的十分之一. 有了长度单位 “寸”, 我们可以将长度测量到几尺几寸, 比如上面的线段可能量出在 5 尺 3 寸和 5 尺 4 寸之间, 这样我们对这条线段的长度有了一个更精细的认识. 自然, 只有 “尺、寸” 仍然不够, 为了更精确地测量, 除尺、寸外, 更有 “分、厘、毫、丝、忽、微” 等更短的长度单位, 其中后一个单位的长度为前一个的十分之一, 它们构成了我国传统度量衡的长度单位系统——市制. 有了这样一个单位系统, 我们可以相当精确地进行长度测量了, 且所用单位越小 (长度越短), 测出的精度就越高.

现在国际计量委员会确立了以 “米” 为基本长度单位的国际单位制. 国际单位制中常用的单位有 “千米 (公里)、米、分米、厘米、毫米、微米、纳米” 等, 其中在 “千米、米、毫米、微米、纳米” 之间, 后一个的长度是前一个的千分之一; 在 “米、分米、厘米、毫米” 之间, 后一个的长度是前一个的十分之一. 国际单位制已经完全能够满足我们目前的社会活动 (包括科学研究) 所需要的精确测量的要求, 是现在全球通用的长度计量单位制. 当然, 世界上还有其他各种单位制, 如英、美等国常用的英制.

用不同的长度单位进行测量, 我们也可以理解为用不同长度的 "直尺" 去量被测对象 (这里 "直尺" 之 "尺" 是指测量工具, 要区别于作为长度单位的尺). 比如, 以米为单位测量一条线段, 就相当于用一米长的直尺首尾相接地一次一次去量这条线段, 量的次数乘上一米, 就得到线段的长度. 一般来说, 要进行长度测量, 就需要一把直尺, 用直尺去度量, 量的次数乘上直尺本身的长度, 就得到测量对象的长度. 并且, 所用的直尺越短, 测出的长度越精确. 我们把用于测量的直尺的长度 (可对应于各种长度单位) 称为 "尺度".

除了测量距离和直线的长度, 我们还常常需要测量曲线 (如弯曲的河流等) 的长度. 如何测量河流长度? 测绘人员会沿河岸以合适的间隔立一些标杆, 然后测量出相邻两个标杆之间的距离, 将所有相邻标杆间的距离求和, 就算作河流的长度. 这样的测量将两个标杆间的直线距离作为河流在两个标杆间的长度, 所测出的河流长度自然是近似长度. 那么, 在数学上如何精确地测量曲线的长度呢?

最简单也是最常见的曲线无疑是圆周. 数学史上, 圆周长的计算一直处于十分重要的地位, 它涉及数学中最重要的常数之一——圆周率 π. 古希腊阿基米德提供了一种计算圆周长的一般方法——割圆术[①]. 阿基米德从圆的内接正 6 边形的周长出发, 利用毕达哥拉斯定理 (即勾股定理), 逐步求得圆内接正 12 边形、 24 边形、 48 边形 $\cdots\cdots$ 的周长, 从而用内接正多边形的周长作为圆周长的近似值. 这里, 在内接正多边形相邻两个顶点间用直线的长度 (内接正多边形的边长) 代替了圆周在这两点间的弧长, 因此, 内接正多边形的周长要比圆周长短一些. 但阿基米德指出, 随着内接正多边形边数的成倍增加, 所得周长越来越接近于圆周长. 注意到正多边形的周长等于其边长乘上边数, 我们可以换一种说法解释阿基米德割圆术: 计算圆内接正多边形的周长, 相当于用一把长度为圆内接正多边形边长的直尺去量圆周, 量的次数就是圆内接正多边形的边数, 因此, 圆内接正多边形的周长等于用这把直尺量圆周量出的长度. 即圆周长也可以用直尺去测量. 内接正多边形边数增加相当于直尺长度 (即边长) 缩短, 这就是说, 所用直尺越短, 量出的圆周长越精确, 随着直尺长度的缩短, 量出的长度越来越接近圆周长. 如果我们让内接正多边形的边数增加以至趋于无穷, 也即直尺的长度缩短以至趋于 0, 那么, 量出的长度就会趋近于一个确定的数值, 这个值就是圆周长的精确值. 在这里, 我们看到了 “边数增加趋于无穷” “直尺长度缩短趋于 0” 这样

---

① 虽然我国刘徽的割圆术在计算圆周率 π 方面要优于阿基米德割圆术, 但这里我们没有用刘徽割圆术, 因为刘徽计算的是面积而不是周长.

的一种“极限过程”, 这正是数学上求出圆周长的关键所在.

上述测量圆周长的方法实际上也是数学上测量很多曲线长度的一般方法. 假如一条曲线是光滑的, 我们就可以用直尺去量这条曲线, 量的次数乘上直尺的长度就是这条曲线的近似值. 所用的直尺越短, 我们量出的长度越精确, 如果让直尺的长度趋向于 0, 那么, 量出的长度就趋向于曲线的精确长度.

那么, 是不是用这样的方法可以测量出所有曲线的长度呢? 这正是我们下面要着重讨论的问题.

二、分形的诞生

路易斯 · F. 理查德森 (Lewis F. Richardson, 1881—1953) 是英国的一位物理科学家、气象科学家、社会心理学家, 更是一位应用数学家. 理查德森的特殊贡献是将数据分析和数学模型应用在他所研究的所有领域. 比如, 他设想利用历史数据和所建立的数学模型, 通过大量计算来预测未来天气, 这使他成为现代天气预报的先驱. 理查德森是一位和平主义者, 第一次世界大战后, 他一直在考虑战争的成因和预防. 为了考虑两国间产生冲突的各种因素, 需要计算两国边界的长度. 他查阅了当时公开的数据, 发现各国测量的数据各不相同, 且有很大区别. 例如: 西班牙和葡萄牙之间的边界长从 987 千米到 1 214 千米不等, 而荷兰与比利时的边界长为 380 千米到 449 千米不等, 这显然不是简单的测量误差造成的. 理查德森用阿基米德测量圆周长的方法测量了各国的国境线 (包括陆地国境线和海岸线), 发现对于像国境线这样曲折粗糙和不规则的曲线, 其长度与测量时所用的尺度有关, 测量得到的国境线长度随着尺度的变小而变长, 而不像圆周一样会越来越接近一个确定的数值 (即圆周长). 经过对测量数据大量分析后, 理查德森绘制了一张各国陆地国境线和海岸线的长度的测量值和测量所用尺度之间的关系图 (图 2), 图中横坐标是尺度的对数、纵坐标是相应尺度下测得的国境线长度的对数. 可以看到, 每一个国家的国境线 (海岸线) 的测量数据都位于一条直线附近, 这条直线的斜率为负, 意味着测量值随着尺度变小而增大 (作为对比, 测量圆周所得到的数据 (黑点表示) 在一条曲线上, 且当尺度较小时, 测量值接近于水平). 理查德森由此发现了一个经验公式: 设所用尺度为 ℓ, 测得国境线 (海岸线) 长度为 $L(\ell)$, 则它们的对数有如下线性关系

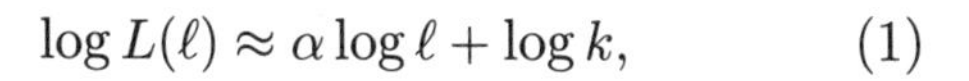

$$\log L(\ell) \approx \alpha \log \ell + \log k, \tag{1}$$

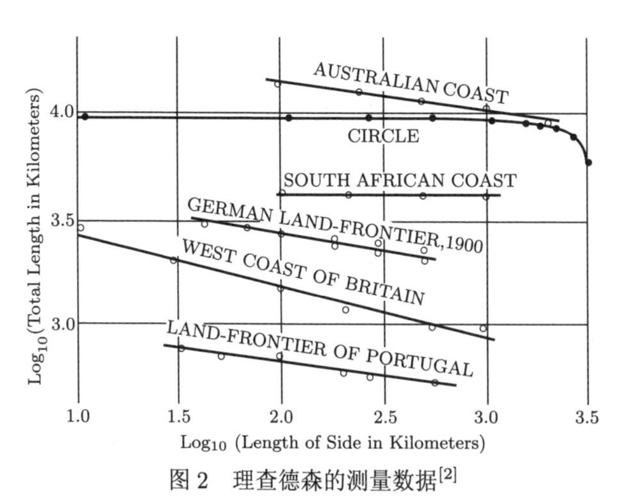

图 2　理查德森的测量数据[2]

或者

$$L(\ell) \approx k \cdot \ell^{\alpha}, \tag{2}$$

这里, log 表示自然对数, α 是直线的斜率, $k > 0$ 为一个常数. 不同国家的国境线 (海岸线) 所对应的常数 α 及 k 各不相同, 但均有 $\alpha < 0$. 显然, 随着 ℓ 越来越小, $L(\ell)$ 越来越大. 理查德森据此认为传统的 "海岸线的长度" 这样的说法存在问题, 并问 "不列颠的海岸线到底有多长?"

1967 年, 法裔美国数学家伯努瓦 · B . 芒德布罗 (Benoit B. Mandelbrot, 1924— 2010, 图 3) 在美国《科学》杂志上发表了一篇开创性的论文《不列颠的海岸线有多长——统计自相似性和分数维》. 在这篇论文中, 芒德布罗指出长度已经不是描述海岸线合适的度量, 在某种意义下海岸线是不可求长的, 或者说其长度为无穷大. 对于理查德森的问题, 与其问 "不列颠的海岸线有多长", 不如问 "不列颠的海岸线的曲折程度有多大". 并提出了两个重要概念: 其一是**统计自相似性**, 就是说像海岸线这样极其曲折和不规则的曲线, 有一个明显特征: 其任何一小部分和整体看上去很相像. 半岛上有小的半岛、海湾里有小的海湾; 小的半岛上有更小的半岛、小的海湾里有更小的海湾 …… 而这种自相似性是海岸线不可求长的根本原因. 其二是**分数维**, 芒德布罗指出, 理查德森的经验公式中斜率 α 有特殊的意义, 是描述海岸线自相似性的特征指数, 芒德布罗把 $D = 1 - \alpha$ 称为相应海岸线的 "分数维". 对于直线, $D = 1$; 而对于海岸线, 均有 $D > 1$. D 越大, 表明海岸线越复杂、越曲折; D 越接近于 1, 表明海岸线越接近于直线或光滑曲线. 在理查德森的数据中, 不列颠西海岸海岸线的分数维 $D \approx 1.25$, 而南非海岸线的分数维 $D \approx 1.02$, 查阅地图, 我们可以明显看到两者曲折程度的区别. 由此可见, 分数维 D 正是描述海岸线曲折程度的一个指标.

图 3　分形之父——伯努瓦 · B . 芒德布罗

芒德布罗是出生于波兰华沙的犹太人, 从小随父母移居巴黎, 并获巴黎大学数学博士学位, 后来定居美国, 曾任 IBM 公司沃森研究中心高级研究员, 也曾在哈佛大学、耶鲁大学任教. 他是一位博学多才的天才, 但又是一位离经叛道的数学家, 他有天马行空的想象力, 研究涉及过物理、经济、生理、语言和其他一些似乎毫不相关的学科, 但他不喜欢严密逻辑推导, 长期不被传统数学家所认可. 受其一位著名数学家叔叔 (是法国科学院院士) 的影响, 他对数学史上一些著名而非常不规则的"怪"函数或集合特别感兴趣, 但这些"怪"的函数和集合通常是作为特例或反例来介绍的, 因为在当时, 数学的主流是研究规则的、光滑的对象. 然而, 芒德布罗发现, 在自然界、科学界以及经济等领域, 不规则对象大量存在, 并且是更普遍的现象. 除了前面提到的海岸线外, 如地形地貌、山峦云彩、星系分布、植物形态、湍流、布朗粒子运动以及股价指数等, 都是极其不规则的. 对于这些不规则对象, 以微积分为基本工具的传统数学难以发挥作用, 需要发展出新的数学工具, 或者从浩瀚文献中发掘出被淹没的明珠. 在《不列颠的海岸线有多长——统计自相似性和分数维》一文中, 芒德布罗通过理查德森的工作, 发现了分数维——这一前人提出但不太被重视的概念——是研究不规则对象的有力工具. 为了给自己研究的那些复杂、不规则、不光滑的对象命名, 他于 1975 年创造了 fractal 一词. 这是芒德布罗生造的新词, 来源于拉丁文 fractus (破碎的) 和英文 fractional (分数的), 中文翻译为"**分形**". 同年, 他的法文专著《分形对象: 形式、机遇和维数》 (*Les Objets Fractals : Forme, Hasard et Dimension*) 出版. 在这本漫谈式的书中, 他全面阐述了他的分形思想, 正式使用了"**分形维数**"这一术语, 代替以前他使用的"分数维". 他用大量例子描绘了自然科学中的分形现象, 并提出了分形模拟方法, 绘制了精美插图. 这本书的出版标志着**分形几何学**的诞生. 1982 年, 芒德布罗的另一本经典著作《自然界的分形几何》(*The Fractal Geometry of Nature*) 与读者见面, 这是他对前一本书的修正和扩充. 在此书中, 芒德布罗引经据典, 旁征博引, 向读者展示了他所创建的分形几何所产生的奇妙图案和以分形理论为基础模拟出的足以乱真的星球和地形地貌. 至此, 人们被芒德布罗的奇思妙想所折服, 他的分形理论被科学界广泛接受, 而《自然界的分形几何》也被分形界的学者视为"圣经", 芒德布罗本人则被称为"分形之父". 如今, 分形思想已经渗透到自然科学和社会科学的众多领域, 分形几何学已在统计物理、地球物理、天体物理、经济学、计算机信息处理、图形图像学、艺术和设计等领域得到了广泛的应用.

三、科赫曲线

那么, 为什么海岸线不可求长, 或者说长度无限呢? 由于海岸线太过复杂和不规则, 且海岸线也不是一个数学概念, 我们先考虑一条由瑞典数学家海尔格 · 冯 · 科赫 (Helge von Koch, 1870—1924) 在 1904 年引入的曲线——科赫曲线. 科赫曲线是这样构造的 (见图 4):

(1) 作一直线段 E_0.

(2) 将直线段 E_0 三等分, 以中间三分之一线段为底作一个等边三角形, 并擦去等边三角形的底, 得到图 4 中由 4 条长度为原线段长度 1/3 的线段首尾相连而成的折线 E_1 (即用等边三角形的两边替代原线段的中间三分之一线段).

(3) 对 E_1 的每条线段同样用等边三角形的两边替代原线段的中间三分之一线段, 得到一条由 16 条线段首尾相连而成的折线 E_2.

(4) 对 E_2 的每一条线段做同样的替代过程得到图 4 中的折线 E_3, 并继续重复这个过程, 依次得到越来越复杂的折线 E_4, E_5 ······

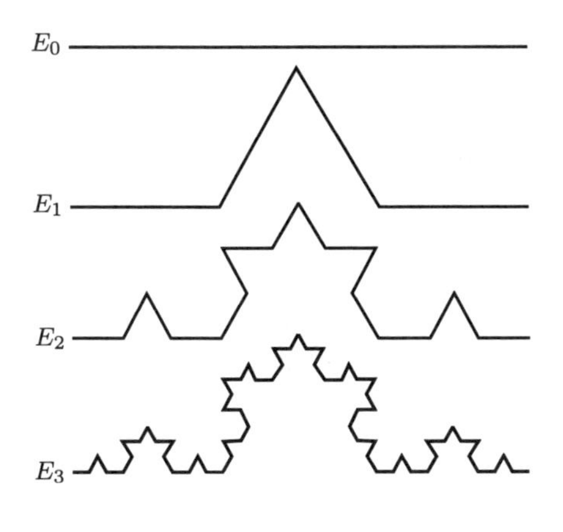

⋮

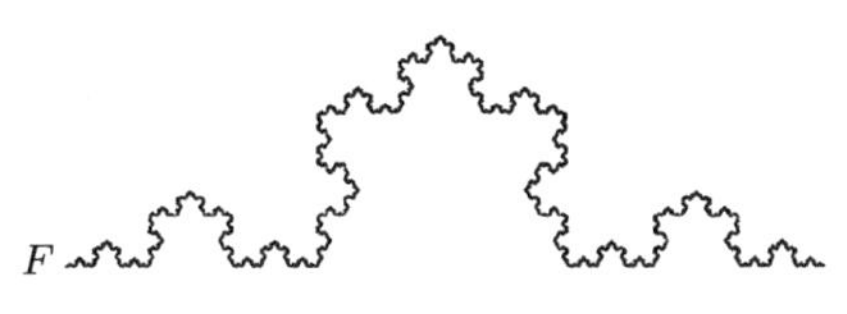

图 4　科赫曲线及其构造

(5) 无限重复这个过程, 最后得到一条复杂曲线 F. 曲线 F 就称为**科赫曲线**.

比起海岸线, 科赫曲线看上去规则多了, 但它保留了和海岸线类似的性质, 以后我们还将看到科赫曲线的变体实际上可以看作是海岸线的一种模拟. 正是因为科赫曲线相对规则一些, 对它的研究也要容易一些, 比如, 我们可以尝试测量一下科赫曲线的长度.

假设在科赫曲线构造中, 一开始线段 E_0 的长度为 1. 如果我们用长度为 1/3 的尺量科赫曲线,需要量 4 次, 量出的长度为 4/3 (图 5(a)).

如果用长度为 1/9 的尺量, 需要量 16 次, 量出的长度为 16/9 (图 5(b)).

如果用长度为 1/27 的尺量, 需要量 64 次, 量出的长度为 64/27 (图 5(c)) ……

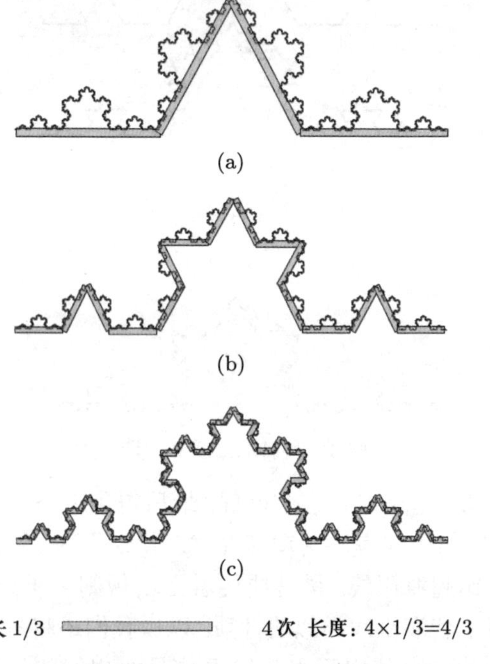

图 5 测量科赫曲线的长度

一般地, 如果用长度为 $1/3^n$ 的尺量科赫曲线, 需要量 4^n 次, 量出的长度为 $(4/3)^n$.

事实上, 用长度为 1/3 的尺量科赫曲线, 量出的就是科赫曲线构造过程中 E_1 的长度, 为 4/3. 用长度为 $1/3^n$ 的尺量, 量出的是 E_n 的长度, 为 $(4/3)^n$. 可见, 尺长越来越短, 即 n 越来越大, 量出的长度也越来越大, 而当 n 无限增大时, 量出的长度也无限增大, 不会接近某个确定数值, 这表明科赫曲线无法求出其长度, 或者说, 科赫曲线的长度是无穷大!

显然, 科赫曲线和我们通常认识的曲线有很大不同. 事实上, 科赫曲线还有很多奇特的性质. 比如三条科赫曲线首尾相接可以围成一个雪花形状的漂亮图案, 称为**科赫雪花** (图 6). 和圆周不同的是: 科赫雪花曲线围成的面积是有限的, 但它的周长却是无限的. 为什么圆周可以求出其确切长度, 而同样能围成有限面积的科赫雪花曲线却不可求长? 到底是什么原因造成科赫曲线不可求长的呢? 比较一下圆周和科赫雪花曲线, 我们可以很直观地发现它们本质上的区别: 圆周看上去是光滑的, 而科赫曲

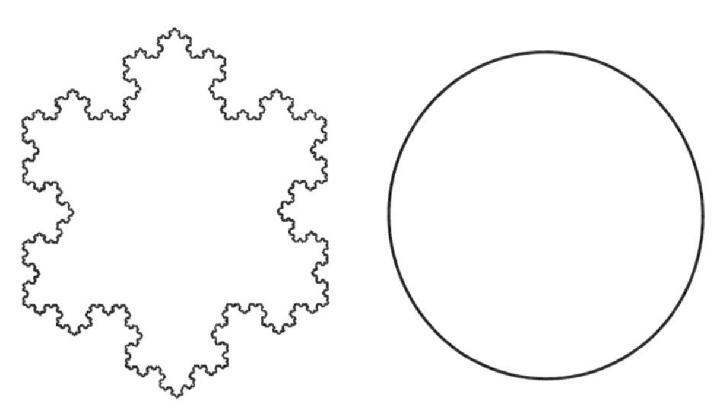

图 6　科赫雪花曲线和圆周

线却无比曲折粗糙, 处处不光滑. 何谓光滑呢? 粗略地说, 一条曲线是光滑的, 至少它处处有切线. 在切点附近, 曲线和直线 (切线) 靠得很近, 两者的差距非常小. 为此, 我们将光滑曲线的局部加以放大来观察曲线的局部细节, 比较其和直线的差别有多大. 图 7 是圆周上一点附近的局部放大, 其中 (b) 是从圆周 (a) 上截取一小段弧放大所得的曲线; (c) 是从 (b) 上截取一小段弧放大所得, 或者说从圆周 (a) 上截取更小的一段弧放大更大的倍数后所得; 同样 (d) 是从 (c) 上截取一小段弧放大所得, 这是圆周 (a) 上更小的一段弧放大出来的. 从中我们可以明显地看出圆周上很小的一个局部非常接近于直线, 并且, 如果我们在圆周上截取的弧越短, 放大的

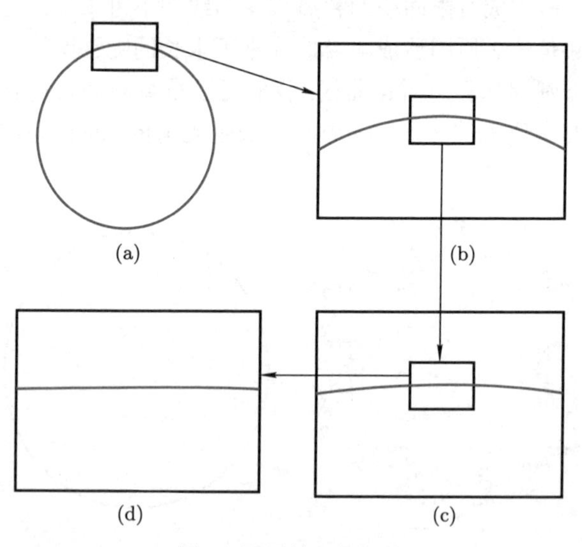

图 7 圆周的局部细节

倍率越大, 则越接近直线. 事实上, 这是光滑曲线的共性! 图 8(a) 是一条复杂但仍然是光滑的曲线, 图 8(b),(c),(d) 是图 8(a) 中曲线的局部细节采用不同倍数的放大. 我们同样可以看到, 尽管整条曲线看来很复杂, 但很小的局部会变得非常简单, 直至和直线看不出有什么区别. 当我们用直尺测量光滑曲线的长度时, 是用直尺 (直线段) 替代测量的那一段弧, 而当直尺的长度非常小时, 直尺所替代的那一小段弧和直线几乎没有什么区别, 因此, 测量得到的误差微乎其微, 并且随着尺长的缩短, 总的测量误差会越来越小, 最后当尺长趋于 0 时, 量出的长度就趋于曲线的实际长度.

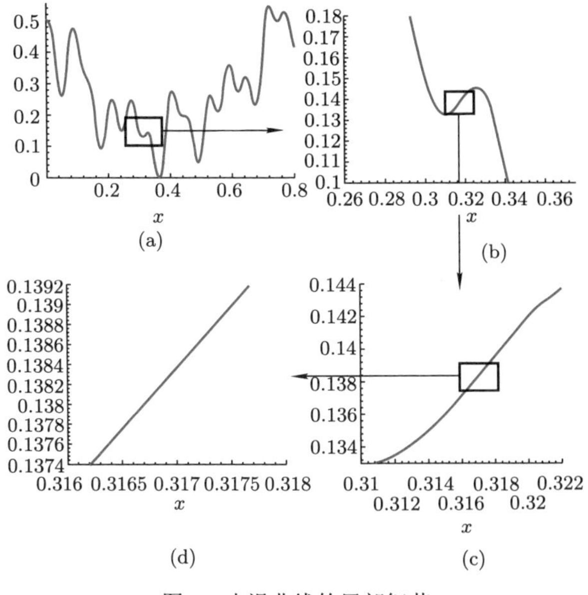

图 8　光滑曲线的局部细节

现在来观察一下科赫雪花曲线的局部细节 (见图 9). 和光滑曲线不同的是, 科赫曲线的任何一小段经过放大, 可以发现其和整条科赫曲线是相似的, 即它的任意小的局部与整体有同样的复杂度, 永远不会变得和直线近似. 因此, 在测量时, 不管所用的直尺有多短, 用直尺来代替科赫曲线上相应的一小段是不合理的. 这样, 我们自然不能用直尺来测量出科赫曲线的长度了, 这就是科赫曲线不可求长的直观但本质的原因. 进一步, 仔细观察科赫曲线的局部细节, 可以发现科赫曲线的任意小局部都包含了许多小的科赫曲线, 因此, 不但整条科赫曲线不可求长, 而且其任何一小段都是不可求长的, 即截取科赫曲线上任意一小段, 都可以无限拉长, 却无法拉成一条直线, 怎么拉都是弯曲的.

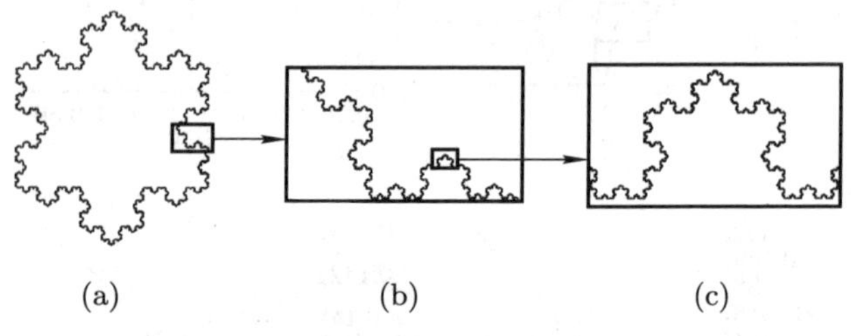

图 9　科赫雪花曲线的局部细节

我们已经知道科赫曲线是不可求长的, 或者长度为无穷大. 现在我们从另一个角度来观察科赫曲线, 它看上去是一个漂亮的平面图形, 那么是不是可以算算它的面积是多少呢? 为此我们先看一下另外一种构造科赫曲线的方法 (如图 10): 作一个顶角为 120° 的等腰三角形 E_0 (含三条边及其内部), 将 E_0 的底边三等分, 以其中间三分之一边为底边, E_0 的上顶点为顶点做一个等边三角形, 并在 E_0 中挖去这个等边三角形, 得到由两个全等且与原三角形 E_0 相似的等腰三角形组成的集合 E_1 (在挖去等

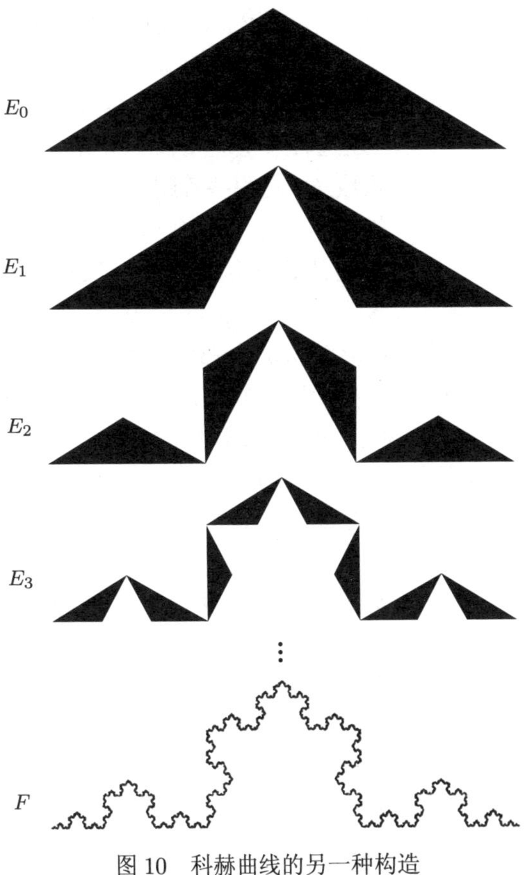

图 10　科赫曲线的另一种构造

边三角形时，将这个三角形的底边一起挖去，但保留其腰上的两条边，使得构成 E_1 的两个等腰三角形仍然包含其三条边). 对 E_1 的两个等腰三角形进行同样的过程得到一个由四个全等且与 E_0 相似的等腰三角形组成的集合 E_2. 继续这个过程，逐次挖去一些等边三角形，依此得到 $E_3, E_4, \cdots$. 如果将这个过程无限继续下去，则最后挖剩下的集合 F 恰好就是科赫曲线. 这里我们必须注意到：在上述过程中，构成 E_n 的那些等腰三角形都是包含其三条边的，无限进行上述过程不会把等腰三角形 E_0 全部挖掉，事实上，构成 E_n 的那些等腰三角形的所有顶点都不会被挖去，最后都保留在集合 F 里.

现在我们通过计算面积来看看到底还挖剩下多少？假设等腰三角形 E_0 的面积为 A，则第一次挖去的等边三角形面积是 $(1/3)A$，因而 E_1 的面积为 $(2/3)A$. 而 E_1 由两个全等且和 E_0 相似的等腰三角形组成，每个等腰三角形的面积是 $(1/3)A$. 对组成 E_1 的每个等腰三角形同样地挖去中间的等边三角形，则挖去的面积是 $(1/3)(1/3)A = (1/3^2)A$，从而第二次挖去的两个等边三角形的面积之和是 $(2/3^2)A$. 一般地，第 n 次要挖去 2^{n-1} 个小等边三角形，每个小等边三角形的面积为 $(1/3^n)A$，因而第 n 次挖去的等边三角形的面积之和为 $(2^{n-1}/3^n)A, \cdots$. 这样，挖去的所有等边三角形面积之和为

$$\frac{1}{3}\left(1+\frac{2}{3}+\left(\frac{2}{3}\right)^2+\cdots+\left(\frac{2}{3}\right)^{n-1}+\cdots\right)A = A.$$

于是，挖剩下的科赫曲线 F 的面积是 $A - A = 0$.

这就是说, 将科赫曲线当作一个平面图形用面积来度量它也不是那么适合的, 因为其面积是可以忽略不计的零.

不过尽管科赫曲线非常复杂, 但其构造却很有规律. 它是通过一个无穷递归的过程构造的, 而递归过程的每一步都很简单, 是一个简单的重复进行的过程. 在科赫曲线的构造过程中 (图 4), 第二步得到的折线 E_1 尤其重要, 称为科赫曲线的**生成子**, 以后的每一步都在前一步得到的折线的基础上, 将折线中的每一段直线均用 E_1 的缩小版来替代, 即 E_{n+1} 是将 E_n 的每一条直线段用缩小了的 E_1 替代得到的. 因此, 只要有了 E_1 就可以得到科赫曲线. 改变 E_1 的形状, 我们可以用同样的方法得到一些复杂而漂亮的分形图形, 如图 11.

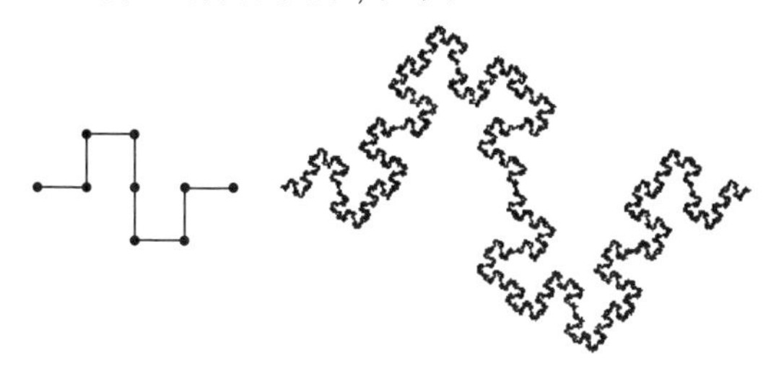

图 11　生成子及其生成的图形

我们总结一下科赫曲线的特征:

(1) 科赫曲线处处不光滑, 没有切线, 其局部和整体一样复杂.

(2) 科赫曲线的长度为无穷大, 面积为零, 因此长度和面积等常规度量已不是测量科赫曲线合适的量.

(3) 科赫曲线具有自相似性, 其任意小的局部都包含有原曲线的复制品.

(4) 科赫曲线尽管复杂, 其构造却比较简单, 可以通过一个无穷递归过程得到.

四、分形的特征

科赫曲线是典型的分形, 它所具有的特征是分形所具有的共性. 尽管分形这个概念直到上世纪七十年代才出现, 但在数学史上, 类似于科赫曲线那样具有分形特性的例子早就被构造出来了, 它们大多是作为特例或者反例被引入的. 下面我们通过介绍数学史上一些著名的例子, 进一步认识分形的基本特征.

1. 魏尔斯特拉斯函数的图像

数学史上第一条处处不光滑、没有切线、不可求长的分形曲线是由德国大数学家卡尔 · 魏尔斯特拉斯 (Karl Weierstrass, 1815—1897) 构造的. 在魏尔斯特拉斯之前, 人们对函数的认识还不是很清楚, 当时普遍认为一个连续函数除了少数特殊点以外都是有导数的, 即其函数图像除少数点外都是有切线的. 但是, 魏尔斯特拉斯于 1872 年构造了一个函数, 其定义由下面的无穷级数给出:

$$w(x)=\sum_{n=0}^{\infty} a^n \cos(2\pi b^n x), \quad 0<a<1<b,\ ab>1, \tag{3}$$

称为**魏尔斯特拉斯函数**. 这是一个连续函数, 但魏尔斯特拉斯却证明这个函数处处都没有导数, 即其函数图像虽是一条连续的曲线, 但在每一点处都没有切线. 这颠覆了当时人们对函数的认识, 成为一个著名的反例. 在这里, 我们无意对这个结论给出证明, 但是我们可以从其函数图像 (见图 12) 观察到这个事实.

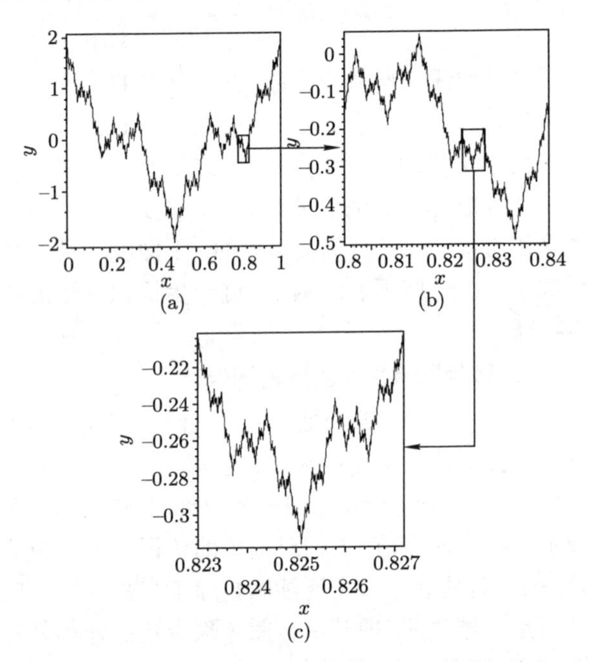

图 12　魏尔斯特拉斯函数的图像 (a) 及其局部放大 (b),(c)($a=1/2, b=3$)

在图中, 我们可以看到魏尔斯特拉斯函数的图像具有和科赫曲线非常相似的性质: 处处不光滑,将其任意小的一段放大可以看到它和整条曲线一样复杂, 都是上下波动的, 没有任何单调区间, 也不会变得像直线一样简单, 因而没有切线, 自然也无法求出其长度. 从图中还可以看到其局部和整体也有某种程度的相似性. 最后, 其构造是一些简单函数的叠加, 如果记

$$w_n(x)=\sum_{k=0}^{n-1} a^k \cos(2\pi b^k x), \quad n=1,2,\cdots,$$

那么,

$$w_{n+1}(x)=w_n(x)+a^n \cos(2\pi b^n x),$$

$$w(x)=\lim_{n\to\infty} w_n(x).$$

可以看到 $w_{n+1}(x)$ 是由 $w_n(x)$ 加上一个简单的余弦函数而得到的. 这个余弦函数的频率 b^n 随着 n 的增加迅速增加, 其振幅 a^n 则迅速减小. 需要指出的是, 由于 $ab>1$, 这个余弦函数项的频率和振幅之积 $a^n b^n$ 随着 n 的增加而趋于无穷, 这是使得其极限函数 $w(x)$ 处处都不可导的主要原因.

由此我们可以看出, 魏尔斯特拉斯函数图像同样具有科赫曲线所具有的四条性质, 它也是一个典型分形.

2. 康托尔三分集

康托尔三分集简称**康托尔集**, 是由集合论的创立者格奥尔格 · 康托尔 (Georg Cantor, 1845—1918) 在 1883 年引进的, 用以说明区间上一个看上

去“很稀疏”的集合可以含有和区间一样多的点.
康托尔集的构造如下 (图 13):

(1) 作一直线段 E_0.

(2) 将直线段 E_0 三等分, 并挖去中间三分之一线段 (不包括端点), 得到一个由两条长度为 E_0 的 1/3 的线段组成的集合 E_1.

(3) 对 E_1 的每条线段同样挖去中间三分之一, 得到由四条线段组成的集合 E_2, 并对每条线段重复这个过程, 依次得到集合 E_3, E_4, $\cdots$.

(4) 无限重复这个过程, 最后挖剩下的集合 F 就是康托尔集.

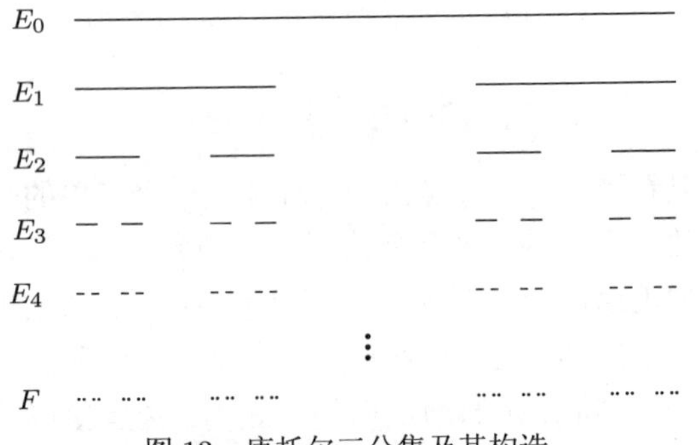

图 13　康托尔三分集及其构造

康托尔集同样有一些特别而奇异的性质. 为了方便说明, 不妨设 $E_0 = [0,1]$. 这样,

$$
\begin{aligned}
E_1 &= E_0 \setminus (1/3, 2/3) = [0, 1/3] \cup [2/3, 1], \\
E_2 &= E_1 \setminus \{(1/9, 2/9) \cup (7/9, 8/9)\} \\
&= [0, 1/9] \cup [2/9, 1/3] \cup [2/3, 7/9] \cup [8/9, 1], \\
&\cdots, \\
F &= \bigcap_{n=1}^{\infty} E_n.
\end{aligned}
$$

首先, 在康托尔集的构造过程中, 容易看出 E_n 为 2^n 个长度为 $1/3^n$ 的互不相交的闭区间的并, 而在下一次挖去中间三分之一时那些闭区间的端点都不会被挖去, 因此康托尔集 F 中含有无穷多个点. 由于我们对构成 E_n 的每个闭区间同样重复挖去中间三分之一的这个过程, 康托尔集位于每个闭区间的部分是一个缩小了的康托尔集, 因此每个这样的区间内都含有康托尔集 F 的无穷多个点. 由于 F 中的每个点都落在某个构成 E_n 的区间内, 而这个区间的长度随 n 增大趋于 0, 因此必定有 F 中的无穷多个其他点聚集在这个点附近, 即 F 中每个点都不是孤立的, 康托尔集的这个性质称为**康托尔集的完全性**.

其次, 容易计算 (和计算科赫曲线面积类似), 康托尔集构造过程中被挖去的那些区间的长度之和为

$$\frac{1}{3}\left(1+\frac{2}{3}+\left(\frac{2}{3}\right)^2+\cdots+\left(\frac{2}{3}\right)^{n-1}+\cdots\right)=1,$$

它等于整个区间的长度. 也就是说, 康托尔集在 $[0,1]$ 区间里基本上没占什么位置: 将康托尔集内的点聚集在一起, 它的"总长度"为 0. 由此, 我们还可知道, 康托尔集不含有任何区间 (否则其长度不会是 0), 康托尔集内任意两个点之间都有不在康托尔集内的点, 这个性质称为**康托尔集的完全不连通性**.

第三, 尽管康托尔集中有无穷多个点, 但直观上区间 $[0,1]$ 中的点基本上都被挖光了, 似乎康托尔

集中剩下的点应该比整个区间 $[0,1]$ 中的点少得多. 然而令人惊奇的是, 康托尔集里的点实际上和 $[0,1]$ 区间中的点一样多. 为说明这一点, 我们将 $[0,1]$ 区间中每一个点对应的实数用三进制小数来表示, 比如 $1/4 = 0.020\,202\cdots$. 将 $[0,1]$ 三等分, 在三进制表示下, 第一段中的数其小数点后第一位为 0, 即可表示为 $0.0\cdots$, 中间一段的数其小数点后第一位为 1, 即可表示为 $0.1\cdots$, 最后一段中的数其小数点后第一位为 2, 即可表示为 $0.2\cdots$. 挖去中间一段等价于将小数点后第一位为 1 的那些数都删去, 这样 E_1 中的数恰好是那些小数点后第一位是 0 或 2 的三进制小数①. 类似地, 在构造 E_2 时, 将小数点后第二位是 1 的那些数也都删去了, E_2 中的数就是小数点后第一、第二位为 0 或 2 的那些三进制小数. 一般地说, E_n 中的数是小数点后前 n 位都是 0 或 2 的那些三进制小数. 因此, 康托尔集 F 恰好由所有小数点后只有 0 或 2 的三进制小数组成. 现在我们将 2 替换为 1, 并将替换后的数看作是二进制小数, 这些二进制小数恰好就是 $[0,1]$ 区间中实数全体. 这样我们就建立了康托尔集 F 和 $[0,1]$ 区间之间的一一对应, 即康托尔集 F 中的点和区间 $[0,1]$ 中的点一样多. 按照康托尔的理论, $[0,1]$ 区间中的实数比有理数要多得多, 是不可数的. 因此看似稀疏的康托尔集所包含的数也比 $[0,1]$ 中的有理数多

---

① $1/3$ 的三进制小数表示有两种: 0.1 或 $0.022\,2\cdots$ (道理和 $1 = 0.999\cdots$ 一样), 我们选择第二种, 这样构成 E_1 的第一个区间的右端点 $1/3$ 也不会被挖去.

得多, 同样是不可数的.

从上面的分析可以看出, 康托尔集也具有和科赫曲线类似的特性, 是一个典型分形.

(1) 康托尔集具有复杂的结构, 每个点附近聚集着很多其他点, 但不含任何区间, 且其局部和整体一样复杂.

(2) 康托尔集含有不可数无穷多个点, 但是其总长度却为 0, 常规的计数和长度已不是测量康托尔集合适的量.

(3) 康托尔集具有自相似性, 其局部包含了整个康托尔集的复制品.

(4) 康托尔集的构造比较简单, 可以通过一个无穷递归过程得到.

3. 谢尔平斯基三角

另一个典型分形是由波兰数学家瓦茨瓦夫 · 谢尔平斯基 (Wacław Sierpiński, 1882—1969) 在 1915 年构造的, 称为**谢尔平斯基三角**. 谢尔平斯基三角构造如下 (如图 14):

(1) 作一个三角形 E_0 (包括边界和内部, 通常是一个等边三角形).

(2) 连接三条边的中点将三角形划分成 4 个同样大小的三角形, 并挖去中间的一个 (不包括三条边), 得到一个由三个三角形拼成的集合 E_1.

(3) 对 E_1 中的每个三角形进行同样的过程得到集合 E_2, 并依次重复这个过程, 得到集合 E_3, E_4, $\cdots$.

(4) 无限重复这个过程, 最后挖剩下的集合 F 就称为谢尔平斯基三角.

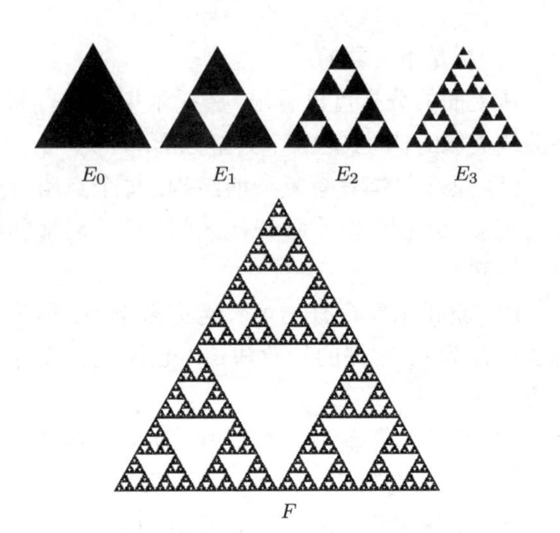

图 14　谢尔平斯基三角及其构造

我们可以看到谢尔平斯基三角是一个千疮百孔的三角形，具有复杂的结构，且其局部和整体一样复杂. 由其构造可知，将构成 E_n 的任意一个小三角形放大到和 E_0 一样大，谢尔平斯基三角在这个小三角形内的部分就放大成整个谢尔平斯基三角，因而有自相似性. 计算可知，被挖去的那些三角形的面积之和等于整个三角形 E_0 的面积，因此，谢尔平斯基三角的面积等于 0. 另一方面，谢尔平斯基三角也可以看作为一条曲线 (图 15 显示了由曲线生成谢尔平斯基三角的生成子和前 6 步)，故谢尔平斯基三角也称为谢尔平斯基曲线. 类似于科赫曲线，这条曲线的长度也是无穷，因而是不可求长的. 常规的长度、面积等度量对谢尔平斯基三角也不适合.

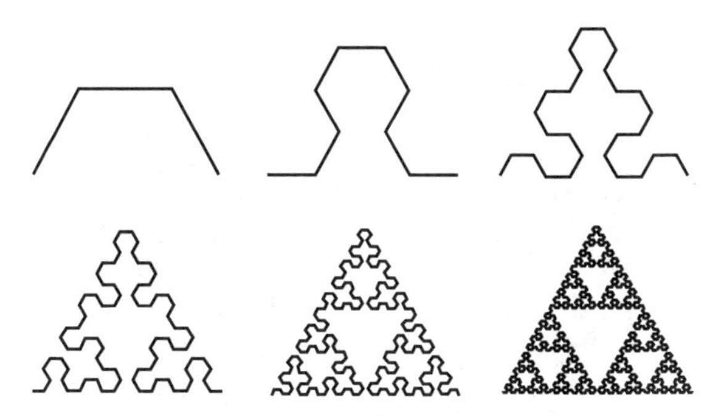

图 15　作为曲线的谢尔平斯基三角(生成子及构造的前6步)

由此, 谢尔平斯基三角也具有科赫曲线的四条性质.

谢尔平斯基三角的构造方法非常典型, 由此可以构造出很多漂亮的分形图案. 比如, 将一个正方形的边三等分将其划分成 9 个小正方形, 挖去中间的小正方形, 并对余下的每个小正方形重复同样的过程. 无穷重复这个过程, 最后得到的图形就是一个分形, 称为**谢尔平斯基地毯** (图 16). 甚至我们可以构造立体的谢尔平斯基分形 (图 17).

由科赫曲线以及本节给出的几个例子, 我们可以总结出分形具备的如下基本特征:

(1) 分形具有精细的结构, 通常比较复杂, 其任意小的局部和整体一样复杂.

(2) 不适合用常规的度量如长度、面积等去测量分形.

(3) 分形通常有自相似性质.

(4) 分形的构造通常具有一定规律, 比如可以通过递归得到.

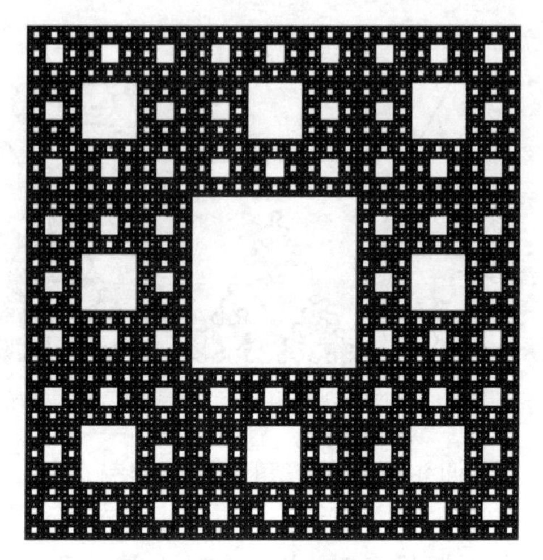

图 16　谢尔平斯基地毯

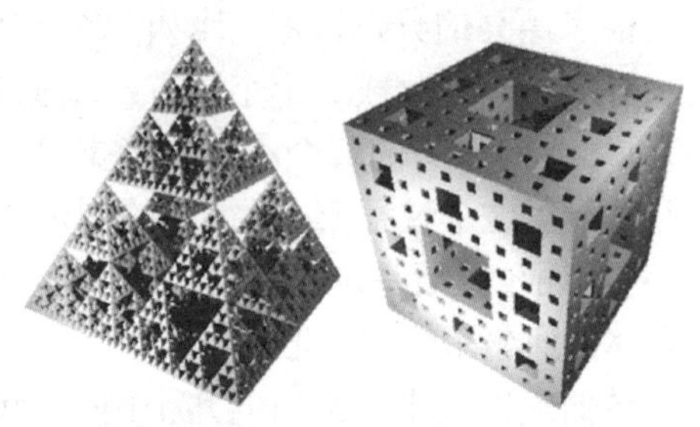

图 17　立体谢尔平斯基分形: 谢尔平斯基金字塔和谢尔平斯基海绵

当然, 分形的特征并不仅仅有这些, 上面只是列出了其最基本的一些特征.

五、分形的度量——分形维数

从前面的讨论知道, 分形不适合用长度、面积、体积等常规方法去度量, 那么, 应该用什么方法对分形进行度量呢? 我们回过头来考察欧氏几何或光滑几何. 长度是用来测量直线或者光滑曲线的, 面积是用来测量平面或者光滑曲面的, 而体积是用来测量球、柱体、锥体等空间物体的. 对于直线, 我们可以将其放到数轴上, 一条 Ox 轴足以标记直线上的每一个点; 对于平面上的点, 我们需要用笛卡儿的平面直角坐标系来表示, 也就是说一条 Ox 轴不够, 还需要一条与 Ox 轴垂直的 Oy 轴构成一个 Oxy 坐标系; 而对于空间来说, 还需要第三条与 Oxy 垂直的 Oz 轴, 构成一个 $Oxyz$ 空间直角坐标系. 或者说, 直线上的点只可以左右移动, 有一个自由度; 平面上的点除了可以左右移动外, 还可以前后移动, 有两个自由度; 而空间的点可以左右、前后、上下移动, 有三个自由度. 坐标轴的个数或者点移动的自由度称为空间维数, 也就是说, 直线是 1 维的, 平面是 2 维的, 而立体空间是 3 维的. 光滑曲线的局部和直线类似, 我们也认为它是 1 维的; 类似地, 光滑的曲面也被认为是 2 维的. 而孤立的点, 由于没有移动的自由度, 我们认为它是 0 维的. 在相对论中, 在 3 维空间外再加上一个时间坐标, 还可得到 4 维时空. 我们用长度测量 1 维的直线或光滑曲线, 用面积测量 2 维的平面或光滑曲面, 用体积测量 3 维的空间几何体, 而对于 0 维的离散点, 合适的度量是计数. 如果我们将一条直线或光滑曲线放在平面内去测量其面积, 测出的结果只能是 0, 因而对面积而言, 直线或光滑曲线完全可被忽视. 反之, 我们也无法用长度去测量一个如矩形那样有正的面积的图形. 这说明, 测量一个几何对象需要在合适的维数下进行.

回过来看上一节提到的那些典型分形. 康托尔集可以放在直线内, 但如果把它当作 1 维集合, 我们已知道康托尔集的 “长度” 为 0, 它太小了; 而把康托尔集当作 0 维的点集进行计数呢? 康托尔集不仅含有无穷多个点, 而且是个不可数集, 它又太大了. 再看科赫曲线和谢尔平斯基三角, 它们不能放在 1 维直线内, 只能放在 2 维平面内. 把它们当作 2 维的平面集合, 其面积等于 0, 它们太小了; 而把它们当作 1 维的曲线, 其长度为无穷大, 它们又太大了. 由此我们可以看出, 用常规方法测量这些典型分形, 似乎没有一个合适的维数. 康托尔集似乎应该介于 0 维和 1 维之间, 而科赫曲线和谢尔平斯基三角则似乎应该介于 1 维和 2 维之间.

可是从通常维数的定义可以看到, 空间维数只能是整数, 这个概念已经牢牢地印在人们脑子里了. 让维数介于 1 维和 2 维之间, 太超出人们的想象力了, 大概只能出现在魔幻世界里, 就像《哈利 · 波特》里才会有$9\frac{3}{4}$ 站台. 不过, 数学家的想象力从来不会被常规所束缚, 看似不现实的分数维 (非整数维) 早已被数学家发现了, 并在分形几何中发挥了关键作用.

要想将维数从整数推广到可以是分数的情形, 需要重新审视维数的概念, 换一个角度看看维数到底是什么? 我们还是回到原始的测量, 在第一节已经提到过, 要测量曲线的长度需要有一把尺, 如果尺长为 ℓ, 测量了 N 次, 那么曲线的近似长度为 $N \cdot \ell$. 并且如果曲线是一段光滑的弧, 当尺长 ℓ 趋于 0 时, 乘积 $N \cdot \ell$ 就会趋于曲线的长度 L. 用极限的语言写出来, 1 维曲线的长度是

$$L = \lim_{\ell \to 0} N \cdot \ell, \tag{4}$$

这里 L 是一个有限正数, 即 $0 < L < \infty$.

再看 2 维面积的测量. 面积的测量并不容易, 面积的概念最初只是对矩形或者正方形定义的. 如果矩形的长与宽分别是 a 与 b, 则矩形的面积定义为 $a \times b$; 特别地, 边长为 ℓ 的正方形的面积是 ℓ^2. 欧氏几何中其他几何图形都要转换到矩形来计算其面积, 比如三角形可通过两个相同的三角形拼接裁剪出一个矩形, 而一般多边形可以裁剪出若干个三角形. 圆面积的计算就比较复杂, 我国古代数学家刘

徽的办法是用内接正多边形的面积逼近圆面积. 那么一般的平面几何图形的面积如何计算呢? 将这个图形放在一个平面上, 用相互垂直的两组平行线划分这个平面, 每组平行线的间隔为 ℓ, 那么平面被划分成一些边长为 ℓ 的小正方形. 设 N 是那些和这个平面图形相交的小正方形的个数, 也就是说用 N 个边长为 ℓ 的小正方形可以覆盖这个平面图形. 那么这些小正方形的面积之和 $N \cdot \ell^2$ 就是这个平面图形面积的近似值 (如图 18). 如果这个图形比较规则, 比如是由几条光滑曲线首尾相接所围成的图形, 那么, 当小正方形的边长 ℓ 越来越小并趋于 0 时, 乘积 $N \cdot \ell^2$ 会趋于一个确定的值 A, 这个值就是所求图形的面积. 这同样可用极限表示为

$$A = \lim_{\ell \to 0} N \cdot \ell^2. \tag{5}$$

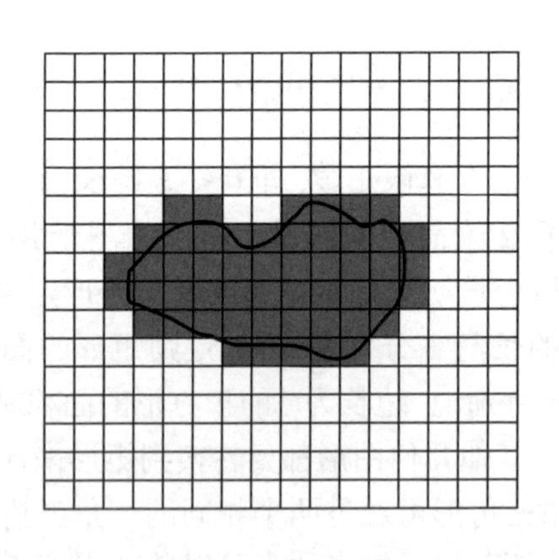

图 18　面积的计算

类似地，对 3 维空间物体的体积，可以将该物体划分成若干边长为 ℓ 的小立方体 (会有一些边角料，每个边角料都算作一个小立方体)，如果这些小立方体的个数是 N，则该空间物体的体积近似于 $N\cdot\ell^3$. 对于比较规则的空间物体，其体积为

$$V=\lim_{\ell\to 0}N\cdot\ell^3. \tag{6}$$

从上面可以看出，在公式 (4),(5),(6) 中，ℓ 肩膀上的指数就是相应对象的维数. 这里我们要求 $0<L,A,V<\infty$，即长度、面积、体积等应是有限的正数. 很自然，ℓ 的指数并不一定非要是整数不可，这就使得我们可以将维数的概念扩充到任意非负实数的情形.

对于分形曲线 C (如科赫曲线)，我们仍用尺量. 设尺长为 ℓ，量的次数为 N. 如果存在一个实数 $D\geqslant 0$，使得当尺长 ℓ 趋于 0 时，乘积 $N\cdot\ell^D$ 趋于一个有限正数，即有

$$k=\lim_{\ell\to 0}N\cdot\ell^D, \tag{7}$$

且 $0<k<\infty$，那么，就称 D 为分形曲线 C 的**分形维数**. k 可以看作此分形曲线在 D 维下的 "长度". 显然，如果 C 是一段直线或者光滑曲线，取 $D=1$ 就满足 (7) 的要求，此时的分形维数 D 就是通常的维数.

下面来看看科赫曲线的分形维数. 在第三节中，我们已经对科赫曲线进行了测量. 取尺长 $\ell=1/3^n$，

则测量次数 $N=4^n$, 而 ℓ 趋于 0 意味着 n 趋于无穷大. 此时, 如果我们取 $D=\log_3 4$, 就有

$$N\cdot\ell^D=4^n\cdot\left(\frac{1}{3^n}\right)^{\log_3 4}=\frac{4^n}{3^{n\log_3 4}}=\frac{4^n}{4^n}=1.$$

由此即得

$$\lim_{\ell=1/3^n\to 0} N\cdot\ell^D=1. \tag{8}$$

从而 $D=\log_3 4$ 就是科赫曲线的分形维数. 显然 $1<D<2$, 即科赫曲线介于 1 维和 2 维之间, 正如我们一开始所预料的那样!

在科赫曲线的分形维数计算中, 为什么取 $D=\log_3 4$ 恰好满足我们的要求呢? 事实上, 如果记

$$r=N\cdot\ell^D-k, \tag{9}$$

则 (7) 意味着 $\lim\limits_{\ell\to 0} r=0$. 在 (9) 中将 k 移到左边, 然后两边取对数, 得到

$$\log(k+r)=\log N+D\log\ell,$$

或者

$$D=\frac{\log N-\log(k+r)}{\log(1/\ell)},$$

注意到当 $\ell\to 0$ 时, $\log(1/\ell)\to\infty$ 以及 $\log(k+r)\to\log k$, 从而

$$\lim_{\ell\to 0}\frac{\log(k+r)}{\log(1/\ell)}=0.$$

因此, 我们得到计算 D 的公式

$$D = \lim_{\ell \to 0} \frac{\log N}{\log(1/\ell)}. \tag{10}$$

这样, 对科赫曲线, 很容易求得 $D = \log 4/\log 3 = \log_3 4$.

对于一般的分形对象, 如何定义分形维数呢? 我们以平面图形为例, 给出一种分形维数的通用定义. 设 F 是一个平面图形 (平面点集), 用两组相互垂直的平行线将平面划分成一系列边长为 ℓ 的小正方形, 设 N 是和 F 相交的那些小正方形的个数. 如果存在一个实数 $D \geqslant 0$, 使得极限

$$k = \lim_{\ell \to 0} N \cdot \ell^D \tag{11}$$

存在, 且 $0 < k < \infty$, 那么, 就称 D 为分形 F 的**分形维数**. 通常将分形 F 的分形维数记为 $\dim F$, 于是, 类似于 (10), 有

$$\dim F = \lim_{\ell \to 0} \frac{\log N}{\log(1/\ell)}. \tag{12}$$

如果考虑的分形 F 是直线上的集合, 可将直线划分成长度为 ℓ 的小区间, 用小区间代替上面定义中的小正方形, 而 N 取为与 F 相交的小区间个数. 同理, 如果分形是空间集合, 可将空间划分成边长为 ℓ 的小立方体, 用小立方体代替小正方形. 我们也可以直接用 (12) 作为分形维数的定义.

现在, 我们来计算康托尔集和谢尔平斯基三角的分形维数.

康托尔集 F 可以放在 $[0,1]$ 区间内. 如将 $[0,1]$ 区间等分成长度 $\ell=1/3$ 的 3 个小区间, 则与康托尔集 F 相交的小区间个数 $N=2$; 如将 $[0,1]$ 等分成长度为 $\ell=1/9$ 的 9 个小区间, 则与 F 相交的小区间个数 $N=4$; 一般地, 如果将 $[0,1]$ 等分成长度为 $1/3^n$ 的 3^n 的小区间, 则与康托尔集 F 相交的小区间个数 $N=2^n$. 由此我们得到康托尔集的分形维数为

$$\begin{aligned}\dim F &= \lim_{\ell=1/3^n\to 0}\frac{\log N}{\log(1/\ell)}\\ &= \lim_{n\to\infty}\frac{\log 2^n}{\log(1/3)^{-n}}=\frac{\log 2}{\log 3}.\end{aligned}\tag{13}$$

显然, $0<\dim F<1$, 康托尔集介于 0 维和 1 维之间.

为了方便计算, 我们将构造谢尔平斯基三角的初始三角形取为等腰直角三角形, 并置于直角坐标系内, 使得其两条直角边分别在坐标轴上 (如图 19). 假设直角边边长为 1, 将谢尔平斯基三角 F 所在的单位正方形等分成边长为 1/2 的 4 个小正方形, 那么其中 3 个和谢尔平斯基三角 F 相交; 如果将单位正方形等分成边长为 1/4 的 16 个小正方形, 则和 F 相交的小正方形个数为 9; 一般地, 如果将单位正方形等分成边长 $\ell=1/2^n$ 的小正方形, 则和 F 相交的小正方形的个数 $N=3^n$. 因此, 谢尔平斯基三角 F

的分形维数

$$
\begin{aligned}
\dim F &= \lim_{\ell=1/2^n\to 0}\frac{\log N}{\log(1/\ell)} \\
&= \lim_{n\to\infty}\frac{\log 3^n}{\log(1/2)^{-n}}=\frac{\log 3}{\log 2},
\end{aligned}
\tag{14}
$$

显然, $1<\dim F<2$, 谢尔平斯基三角介于 1 维和 2 维之间.

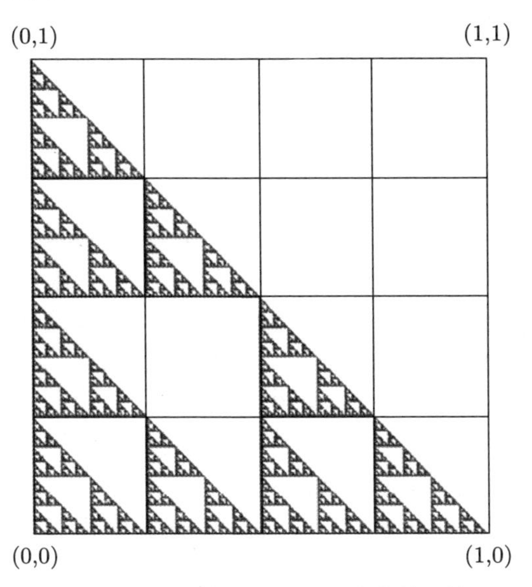

图 19　谢尔平斯基三角分形维数的计算

在上面计算分形维数的三个例子中, 我们取了 $\ell=1/3^n$ (科赫曲线和康托尔集) 以及 $\ell=1/2^n$ (谢尔平斯基三角) 这样的特殊值, 这使得计算分形维数变得非常简单. 但是, 这样取特殊值进行计算其实还是有缺陷的, 因为我们不知道取其他 ℓ 值时,是不是会得到相同的结论. 事实上, 取其他 ℓ 值时, 相应的 $N = N(\ell)$ 就难以用一个公式来表示, 从而很难计算出极限 $\lim_{\ell\to 0}\log N/\log(1/\ell)$, 甚至难以判断极限是否存在. 一般来说, 分形维数的计算是相当困难的, 至今仍是分形理论研究的一个重要内容. 不过, 对于像科赫曲线、康托尔集以及谢尔平斯基三角这样比较规则的分形来说, 数学家已经找到了精确计算其分形维数的理论方法. 可以肯定地告诉读者, 前面通过取特殊 ℓ 值计算出来的科赫曲线、康托尔集以及谢尔平斯基三角的维数, 确确实实是它们的分形维数, 也就是说, 数学家已经填补了前面所说的可能的漏洞.

另外, 需要指出的是, 由(12)给出的只是众多分形维数中的一种, 称为**计盒维数**, 它相对容易理解和计算. 按不同的对象和需要, 还有其他各种分形维数, 比如容量维数、信息维数、包装维数和豪斯多夫维数等. 其中, **豪斯多夫维数**是最适合数学理论研究的维数, 也是最重要的分形维数. 但豪斯多夫维数的定义需要较高深的数学基础, 已经超出了本书的知识范畴, 我们不在这儿具体介绍了.

尽管精确计算分形维数比较困难, 但在物理等方面的实际应用中, 一般只需要计算分形维数的近似值, 而对分形维数的近似值已有很好的数值计算方法. 由 (7) 及 (11) 知, 当 ℓ 充分小时, 有

$$k \approx N \cdot \ell^D, \tag{15}$$

两边取对数就得到

$$\log k \approx \log N + D \log \ell. \qquad (16)$$

这说明 $\log \ell$ 和 $\log N$ 近似满足一个线性方程. 因此, 如果我们适当选取一些较小 ℓ 值, 并数出相应的 N 值, 在以 $\log \ell$ 为横坐标、 $\log N$ 为纵坐标的直角坐标系中, 标出那些点 $(\log \ell, \log N)$ 的位置, 就可以发现它们位于一条直线附近. 画出这条直线并求出其斜率, 这个斜率就是分形维数 D 的近似值.

对于分形曲线, $N \cdot \ell$ 就是用长为 ℓ 的尺所量出的曲线的 "长度" $L(\ell)$, 此时, (16) 可改写为

$$\log L(\ell) \approx (1 - D) \log \ell + \log k. \qquad (17)$$

记 $\alpha = 1 - D$, (17) 就是第二节中所述的理查德森的经验公式 (1), 而 $D = 1 - \alpha$ 就是相应的分形维数!

分形维数是衡量分形对象复杂度的一个指标. 对分形曲线而言, 其分形维数在 1 和 2 之间, 维数越大曲线越复杂. 如果维数越接近于 1, 这条曲线看上去就越接近于一条光滑曲线; 如果维数越接近于 2, 这条曲线越接近于填满一个平面区域的图形. 图 20 显示了不同分形维数的分形曲线, 它们是科赫曲线的某种变形. 我们可以明显看到, 随着维数的增加, 从比较接近于光滑的曲线向接近于填满一个三角形区域的更复杂曲线的变化. 当然, 只要维数小于 2, 它就不可能真正填满一个区域, 其面积一定为 0.

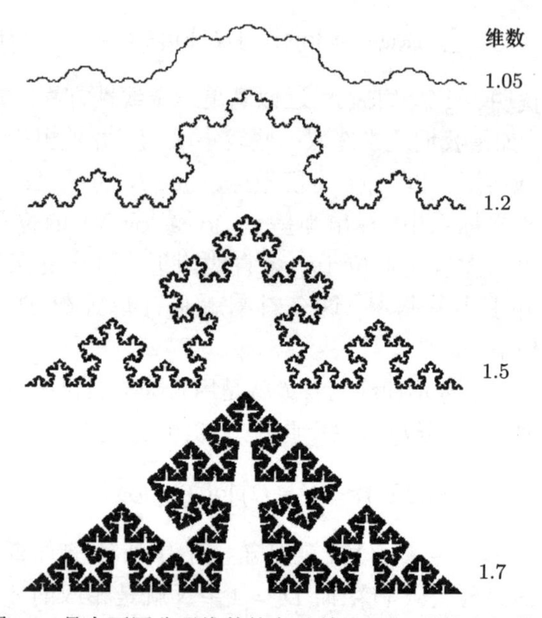

图 20　具有不同分形维数的变形科赫曲线, 曲线右侧数字为该曲线的分形维数

六、分形的生成

前面给出的典型分形的例子, 在上世纪初就陆续被提出来了, 但人们一直把它们作为特例考虑. 这些集合是如此怪异, 在当时的条件下, 用手工很难把它们精确地描画出来, 只能画出简略的示意图. 直到上世纪八十年代, 随着计算机技术的发展, 这些复杂而精美的集合才可以被清晰地展示在我们面前. 事实上, 分形能够被科技工作者所接受并被广大爱好者所喜爱, 是和分形对象能被计算机比较容易地绘制和模拟分不开的. 基于各种分形算法, 我们不仅可以用计算机绘制出精美绝伦的分形图案, 也可以通过计算机图形技术来模拟现实世界中的各种复杂对象. 正是芒德布罗向人们展示了著名分形——**芒德布罗集**的神奇美妙以及成功模拟了地形地貌, 分形才迅速被接受和流传, 分形技术也得到广泛的应用.

本节我们介绍一种比较简单的用计算机生成分形的方法——**迭代函数系统算法**, 简称 **IFS 算法**. 我们首先从最简单的分形——康托尔集的生成开始.

设康托尔集构造中 (见第四节) 初始线段为区间 $E_0 = [0,1]$, 则挖去中间三分之一后得到 $E_1 = [0,1/3] \cup [2/3,1]$, 其中左端区间 $[0,1/3]$ 是原区间 $E_0 = [0,1]$ 压缩 1/3 得到, 而右端区间 $[2/3,1]$ 是 E_0 压缩 1/3 后再向右平移 2/3 所得. 这个过程我们可以用下面两个函数来描述: 令

$$\varphi_1(x) = \frac{1}{3}x, \quad \varphi_2(x) = \frac{1}{3}x + \frac{2}{3}, \tag{18}$$

则

$$[0,1/3] = \varphi_1([0,1]), \quad [2/3,1] = \varphi_2([0,1]),$$

即

$$E_1 = \varphi_1(E_0) \cup \varphi_2(E_0)$$

(如图 21). 我们把这两个函数称为压缩映射.

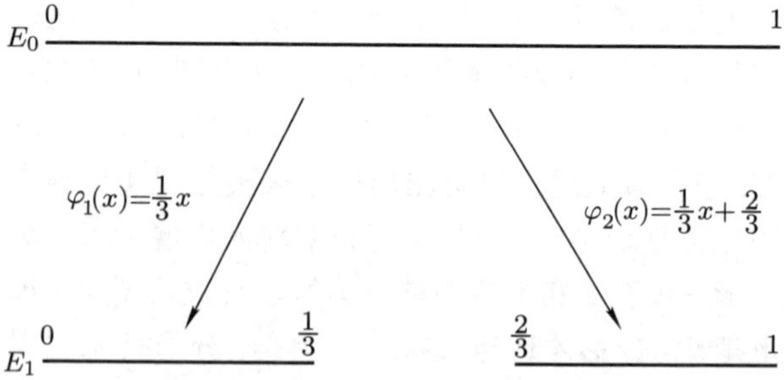

图 21　通过压缩映射生成康托尔集 1

重要的是, 利用 φ_1, φ_2 这两个函数, 我们还有

$$E_2 = \varphi_1(E_1) \cup \varphi_2(E_1)$$

(见图 22). 一般地, 有如下迭代关系

$$E_{n+1}=\varphi_1(E_n)\cup\varphi_2(E_n),\quad n=0,1,2,\cdots. \tag{19}$$

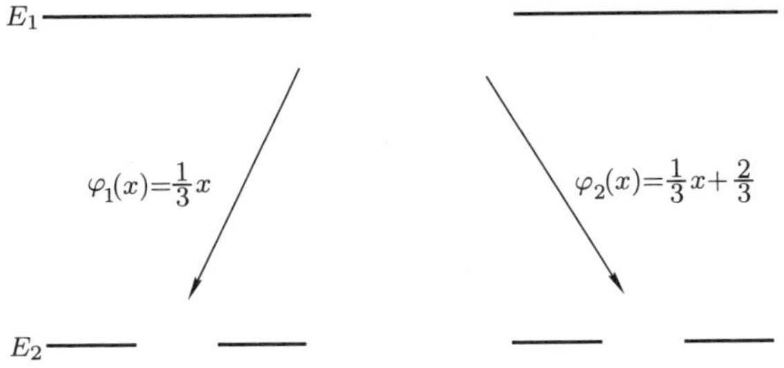

E_1

$\varphi_1(x)=\frac{1}{3}x$ $\varphi_2(x)=\frac{1}{3}x+\frac{2}{3}$

E_2

图 22 通过压缩映射生成康托尔集 2

也就是说, 从初始集合 E_0 出发, 利用 φ_1,φ_2 的迭代过程 (19), 就可以得到康托尔集构造过程中的所有集合 E_n, 从而随着 $n\to\infty$ 最终生成康托尔集 F, 并且有

$$F=\varphi_1(F)\cup\varphi_2(F). \tag{20}$$

我们把 $\{\varphi_1,\varphi_2\}$ 称为生成康托尔集的一个**迭代函数系统**.

科赫曲线和谢尔平斯基三角同样可以通过压缩映射的迭代来实现. 不过此时涉及的是平面图形, 需要将它们放到平面直角坐标系中来考虑.

将谢尔平斯基三角置于 Oxy 坐标系中, 使得其底边为 Ox 轴上的区间 $[0,1]$. 此时, 从构造谢尔平斯基三角的初始三角形 E_0 挖去中间小三角形得到 E_1 这一过程可以看作通过三个压缩映射 $\varphi_1,\varphi_2,\varphi_3$ 所得, 其中 φ_1 将 E_0 压缩 1/2 映成 E_1 的左下小三角形, φ_2 将 E_0 压缩 1/2 并水平平移 1/2 映成 E_1

的右下小三角形, 而 φ_3 将 E_0 压缩 1/2、水平平移 1/4 且垂直向上平移 $\sqrt{3}/4$ 映成 E_1 的顶部小三角形 (如图 23). 如果用坐标 (x,y) 表示自变量, (x',y') 表示映射的像, 则

$$\varphi_1: \quad x'=\frac{1}{2}x, \quad y'=\frac{1}{2}y,$$
$$\varphi_2: \quad x'=\frac{1}{2}x+\frac{1}{2}, \quad y'=\frac{1}{2}y,$$
$$\varphi_3: \quad x'=\frac{1}{2}x+\frac{1}{4}, \quad y'=\frac{1}{2}y+\frac{\sqrt{3}}{4}.$$

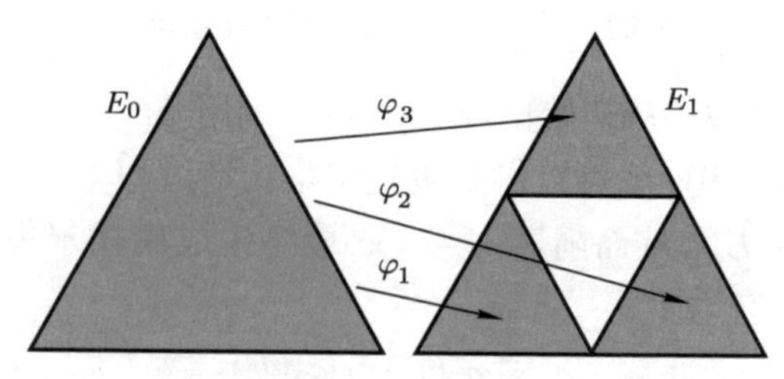

图 23　通过压缩映射生成谢尔平斯基三角

上述三个映射可以用矩阵形式表示为

$$\begin{aligned}
\varphi_1\begin{pmatrix}x\\y\end{pmatrix}&=\begin{pmatrix}1/2&0\\0&1/2\end{pmatrix}\begin{pmatrix}x\\y\end{pmatrix},\\
\varphi_2\begin{pmatrix}x\\y\end{pmatrix}&=\begin{pmatrix}1/2&0\\0&1/2\end{pmatrix}\begin{pmatrix}x\\y\end{pmatrix}+\begin{pmatrix}1/2\\0\end{pmatrix},\\
\varphi_3\begin{pmatrix}x\\y\end{pmatrix}&=\begin{pmatrix}1/2&0\\0&1/2\end{pmatrix}\begin{pmatrix}x\\y\end{pmatrix}+\begin{pmatrix}1/4\\\sqrt{3}/4\end{pmatrix}.
\end{aligned}\tag{21}$$

这样, 我们就有

$$E_1=\varphi_1(E_0)\cup\varphi_2(E_0)\cup\varphi_3(E_0),$$

且一般地有

$$E_{n+1}=\varphi_1(E_n)\cup\varphi_2(E_n)\cup\varphi_3(E_n),\quad n=0,1,2,3,\cdots. \tag{22}$$

并当 $n\to\infty$, E_n 最终生成谢尔平斯基三角 F, 且有

$$F=\varphi_1(F)\cup\varphi_2(F)\cup\varphi_3(F). \tag{23}$$

$\{\varphi_1,\varphi_2,\varphi_3\}$ 就是生成谢尔平斯基三角的迭代函数系统. 我们也可以类似地写出图 19 中变形谢尔平斯基三角的迭代函数系统的三个压缩映射.

同样, 将科赫曲线 F 置于 Oxy 坐标系中, 使得生成它的初始集合 E_0 为 Ox 轴上的区间 $[0,1]$. 生成科赫曲线 F 的迭代函数系统就可由四个压缩映射 $\{\varphi_1,\varphi_2,\varphi_3,\varphi_4\}$ 组成, 用矩阵的形式写出来, 它们分别是

$$\begin{aligned}
\varphi_1\begin{pmatrix}x\\y\end{pmatrix}&=\begin{pmatrix}1/3&0\\0&1/3\end{pmatrix}\begin{pmatrix}x\\y\end{pmatrix},\\
\varphi_2\begin{pmatrix}x\\y\end{pmatrix}&=\begin{pmatrix}1/6&-\sqrt{3}/6\\\sqrt{3}/6&1/6\end{pmatrix}\begin{pmatrix}x\\y\end{pmatrix}+\begin{pmatrix}1/3\\0\end{pmatrix},\\
\varphi_3\begin{pmatrix}x\\y\end{pmatrix}&=\begin{pmatrix}1/6&\sqrt{3}/6\\-\sqrt{3}/6&1/6\end{pmatrix}\begin{pmatrix}x\\y\end{pmatrix}+\begin{pmatrix}1/3\\\sqrt{3}/6\end{pmatrix},\\
\varphi_4\begin{pmatrix}x\\y\end{pmatrix}&=\begin{pmatrix}1/3&0\\0&1/3\end{pmatrix}\begin{pmatrix}x\\y\end{pmatrix}+\begin{pmatrix}2/3\\0\end{pmatrix}
\end{aligned} \tag{24}$$

(如图 24). 其中, φ_1,φ_4 由压缩和平移得到, 而 φ_2,φ_3 除了压缩和平移外还加上了旋转. φ_2 逆时针旋转 60°, 而 φ_3 顺时针旋转 60°. 事实上, φ_2,φ_3 表示式中的矩阵可以分解为

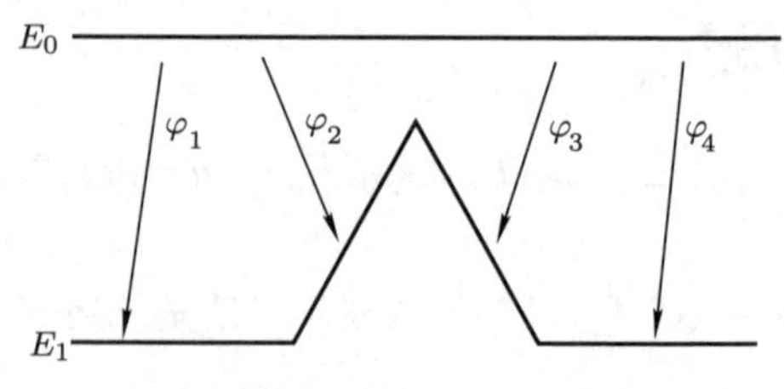

图 24　通过压缩映射生成科赫曲线

$$\begin{pmatrix} 1/6 & -\sqrt{3}/6 \\ \sqrt{3}/6 & 1/6 \end{pmatrix} = \begin{pmatrix} \cos 60^\circ & -\sin 60^\circ \\ \sin 60^\circ & \cos 60^\circ \end{pmatrix} \begin{pmatrix} 1/3 & 0 \\ 0 & 1/3 \end{pmatrix},$$

$$\begin{pmatrix} 1/6 & \sqrt{3}/6 \\ -\sqrt{3}/6 & 1/6 \end{pmatrix} = \begin{pmatrix} \cos 60^\circ & \sin 60^\circ \\ -\sin 60^\circ & \cos 60^\circ \end{pmatrix} \begin{pmatrix} 1/3 & 0 \\ 0 & 1/3 \end{pmatrix},$$

即压缩和旋转的复合. 此时

$$E_{n+1} = \varphi_1(E_n) \cup \varphi_2(E_n) \cup \varphi_3(E_n) \cup \varphi_4(E_n), \quad n = 0, 1, 2, \cdots. \tag{25}$$

同样, 当 $n \to \infty$ 时, E_n 最终生成科赫曲线 F, 并且有

$$F = \varphi_1(F) \cup \varphi_2(F) \cup \varphi_3(F) \cup \varphi_4(F). \tag{26}$$

在上面三个例子的迭代函数系统中的映射, 都是由压缩、平移、旋转、有时还加上反射所得, 这样的映射称为**相似变换**, 它们都可以像 (21) 或 (24) 一样用矩阵形式来表示 ((18) 也可以看成是用一阶矩阵来表示). 式 (20),(23) 或 (26) 均表明所考虑的分形可以表示成其在相应的相似变换下的像的并集, 即分形可以分解成若干部分, 每一部分和原分形是相似的. 满足这一性质的分形称为**自相似分**

形, 康托尔集、谢尔平斯基三角和科赫曲线都是自相似分形.

式 (19), (22) 或 (25) 给出了通过映射生成相应分形的过程, 这种过程是一种迭代过程. 由于计算机处理迭代过程是最拿手的, 它们提供了用计算机来生成分形图形的一种方法. 奇妙的是, 如果我们用 Oxy 平面上的任意一个有界闭集 (对康托尔集而言是直线上的任意一个闭集) 来代替 E_0, 分别通过 (19), (22) 或 (25) 算出新的 E_n, 则随着 n 的增加, E_n 仍将分别越来越逼近康托尔集、谢尔平斯基三角或科赫曲线. 这表明用迭代函数系统生成康托尔集等分形, 所取的初始集合 E_0 并不重要, 而取什么样的压缩映射才是关键. 这使得我们可以将 E_0 取得非常简单, 比如是一个点, 通常可取此点是迭代函数系统中某个函数的不动点, 此时的 E_n 仅由有限个点组成, 这对用计算机绘制分形有很大帮助.

以谢尔平斯基三角为例. 设 $\{\varphi_1, \varphi_2, \varphi_3\}$ 为生成谢尔平斯基三角的迭代函数系统, 它们由 (21) 给出. 取 $E_0 = \{(0,0)\}$, 它是映射 φ_1 的不动点, 则由 (22) 可计算出

$$\begin{aligned}E_1 =&\{(0,0),(1/2,0),(1/4,\sqrt{3}/4)\},\\ E_2 =&\{(0,0),(1/4,0),(1/8,\sqrt{3}/8),(1/2,0),(3/4,0),\\ &(5/8,\sqrt{3}/8),\ (1/4,\sqrt{3}/4),(1/2,\sqrt{3}/4),\\ &(3/8,3\sqrt{3}/8)\},\\ &\cdots,\end{aligned}$$

一般地, E_n 由 3^n 个点组成. 由于计算机屏幕或绘制图案的分辨率有限, 当 n 足够大时, E_n 与最终的谢尔平斯基三角 F 将无法区分, 这样就可以把 E_n 作为我们需要绘制的谢尔平斯基三角.

上述生成分形的算法是非常有效的. 不过由于 E_n 中所含点的个数随 n 指数增加, 并且为了计算 E_{n+1} 必须知道 E_n 中的每一点, 如果要绘制分辨率很高的分形图案, 对计算机内存的要求比较高, 计算也十分耗时. 我们还有一个更加有效的随机算法.

还是以谢尔平斯基三角为例. 取 $(x_0, y_0) = (0,0)$ 为 φ_1 的不动点 (也可以是另外两个变换的不动点), 第一步在 $\{\varphi_1, \varphi_2, \varphi_3\}$ 中随机地选取一个变换, 设为 φ_{i_1} $(i_1 \in \{1,2,3\})$, 计算 $(x_1, y_1) = \varphi_{i_1}(x_0, y_0)$; 第二步随机选取 φ_{i_2} $(i_2 \in \{1,2,3\})$, 计算 $(x_2, y_2) = \varphi_{i_2}(x_1, y_1), \cdots$, 依次重复这个过程, 第 n 步随机选取 φ_{i_n} $(i_n \in \{1,2,3\})$, 计算 $(x_n, y_n) = \varphi_{i_n}(x_{n-1}, y_{n-1}), \cdots$ 当 n 越来越大时, 集合 $E_n = \{(x_k, y_k) : k = 0,1,2,\cdots,n\}$ 将越来越逼近于谢尔平斯基三角 F. 如果分辨率有限, 则当 n 充分大时, 就可以将 E_n 当作所要绘制的谢尔平斯基三角. 这里有两点必需指出: 其一是初始点 (x_0, y_0) 必需取在谢尔平斯基三角 F 内, 容易看出 $\varphi_1, \varphi_2, \varphi_3$ 的不动点都在 F 内, 再利用自相似性 (23), 每个点 (x_n, y_n) 都在 F 内, 从而整个 E_n 包含在 F 内. 其次是在每一步, φ_{i_n} 必须在 $\{\varphi_1, \varphi_2, \varphi_3\}$ 中随机选取, 否则 E_n 将可能不逼近 F, 比如每次都取 φ_1, 则

所有 E_n 都只有一个点 $(0,0)$. 可以证明, 如果随机选取 φ_{i_n} 的话, E_n 不逼近于谢尔平斯基三角 F 的概率是 0.

上述利用一些压缩映射通过 (19), (22) 和 (25) 这样的迭代过程生成康托尔集、谢尔平斯基三角和科赫曲线的方法, 也适用于生成一般分形, 是生成分形的通用方法, 称为 **IFS 算法**.

一个 Oxy 平面到自身的映射 φ 如果可以用矩阵形式表示为

$$\varphi\begin{pmatrix}x\\y\end{pmatrix}=\begin{pmatrix}a_{11}&a_{12}\\a_{21}&a_{22}\end{pmatrix}\begin{pmatrix}x\\y\end{pmatrix}+\begin{pmatrix}b_1\\b_2\end{pmatrix},$$

则称 φ 是一个**线性映射**, 也称为**仿射变换**, 相似变换是一种特殊的仿射变换. 如果一个仿射变换 φ 对任意 Oxy 中的点 (x,y) 及其像 (x',y') 都满足

$$\sqrt{x'^2+y'^2}\leqslant c\sqrt{x^2+y^2},$$

这里 c 是一个小于 1 的正常数, 即 $0<c<1$, 则称 φ 是一个**压缩仿射变换**.

给定一组压缩仿射变换 $\{\varphi_1,\varphi_2,\cdots,\varphi_m\}$ $(m\geqslant 2)$ 以及一个初始闭集 E_0, 归纳地定义

$$\begin{gathered}E_{n+1}=\varphi_1(E_n)\cup\varphi_2(E_n)\cup\cdots\cup\varphi_m(E_n),\\ n=0,1,2,\cdots,\end{gathered}\tag{27}$$

那么 E_n 随着 n 增加会越来越逼近一个确定的集合 F, 这个集合 F 通常是一个分形集合. 并且此

分形集合 F 不依赖于初始集合 E_0 的选取, 即由不同的 E_0 生成的集合序列 E_n 会逼近同一个分形 F. $\{\varphi_1, \varphi_2, \cdots, \varphi_m\}$ 称为一个**迭代函数系统**, 简称 **IFS**, 而 F 称为由 IFS $\{\varphi_1, \varphi_2, \cdots, \varphi_m\}$ 生成的分形.

由此, 我们可以选取合适的迭代函数系统生成各式各样的分形. 图 25 给出了两个由 IFS 生成的漂亮分形图案. 其中, 图 (a) 中的分形由 4 个相似变换生成, 这 4 个变换将图中最大的正方形分别映成这个正方形内的 1 个较小的正方形以及 3 个更小的正方形; 图 (b) 中的分形由 2 个相似变换生成, 它们将图中最大的正方形分别映成 1 个稍小并旋转了一定角度的正方形以及 1 个位于右上角的较小正方形.

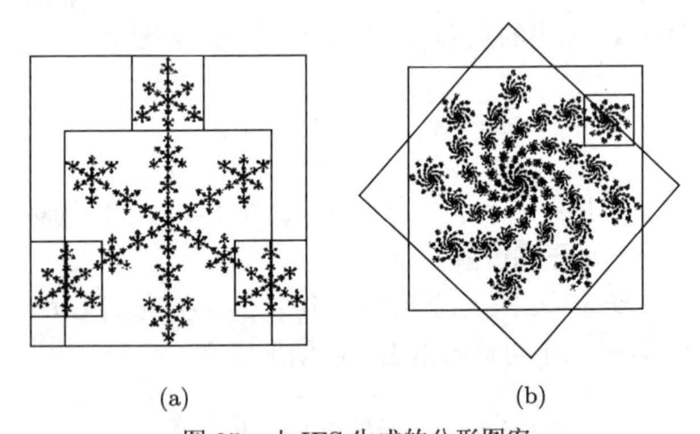

(a) (b)

图 25 由 IFS 生成的分形图案

(a) 由 4 个压缩相似变换生成, (b) 由 2 个压缩相似变换生成

利用迭代函数系统还可以模拟现实世界中的分形对象. 图 26 展示的图案称为**巴恩斯利蕨**, 是由迭

代函数系统的发明人巴恩斯利 (M. Barnsley) 首先生成绘制的. 它由 4 个压缩仿射变换生成, 它们是

$$
\begin{aligned}
\varphi_1\begin{pmatrix}x\\y\end{pmatrix} &= \begin{pmatrix}0.00 & 0.00\\0.00 & 0.16\end{pmatrix}\begin{pmatrix}x\\y\end{pmatrix},\\
\varphi_2\begin{pmatrix}x\\y\end{pmatrix} &= \begin{pmatrix}0.85 & 0.04\\-0.04 & 0.85\end{pmatrix}\begin{pmatrix}x\\y\end{pmatrix} + \begin{pmatrix}0.00\\1.60\end{pmatrix},\\
\varphi_3\begin{pmatrix}x\\y\end{pmatrix} &= \begin{pmatrix}0.20 & -0.26\\0.22 & 0.22\end{pmatrix}\begin{pmatrix}x\\y\end{pmatrix} + \begin{pmatrix}0.00\\1.60\end{pmatrix},\\
\varphi_4\begin{pmatrix}x\\y\end{pmatrix} &= \begin{pmatrix}-0.15 & 0.28\\0.26 & 0.24\end{pmatrix}\begin{pmatrix}x\\y\end{pmatrix} + \begin{pmatrix}0.00\\0.44\end{pmatrix}.
\end{aligned}
\tag{28}
$$

它们分别将整片叶片映成下端的茎、上部去掉最下两片小叶后剩下的叶片、左下小叶片、和右下小叶片. 与真实的蕨类植物比较, 可以看到它们非常相像. 如果修改 (28) 中的系数, 可以得到不同形态的巴恩斯利蕨 (见图 27). 如果连续微小修改系数, 还可以做成动画, 让巴恩斯利蕨在风中摇曳.

图 26　巴恩斯利蕨和真实的蕨类植物

图 27　由修改系数后的仿射变换生成的另一巴恩斯利蕨

我们还可以利用 IFS 模拟生成其他分形对象，如图 28 中的枫叶和树就是用 IFS 算法生成的. 这是一种简单但又非常有效的分形生成算法.

图 28　用 IFS 生成的枫叶和树

七、茹利亚集和芒德布罗集

我们看到, 一些简单映射的迭代可以生成复杂的分形. 在上一节, 生成分形的映射都是线性映射, 即可以用矩阵表示的映射. 如果利用非线性映射, 比如次数大于等于 2 的多项式, 可以生成更为复杂和奇妙的分形, 其中, 最典型的就是通过复多项式的迭代生成的以法国数学家加斯东 · 茹利亚 (Gaston Julia) 命名的**茹利亚集**以及以芒德布罗本人的名字命名的**芒德布罗集**.

坐标平面 Oxy 上的一个点 (x, y) 可以用复数 $z = x + \mathrm{i}y$ 表示, 其中 i 表示虚数单位, 满足 $\mathrm{i}^2 = -1$, x 为复数 z 的实部, y 为复数 z 的虚部. 用复数表示的平面称为复平面, 记为 $\mathbb{C}$, Ox 轴称为实轴, Oy 轴称为虚轴, $z = 0$ 就是原点. 和 Oxy 上的一个点 (x, y) 同时表示一个向量一样, 复数 $z = x + \mathrm{i}y$ 也表示复平面上的一个向量, 用 $|z| = \sqrt{x^2 + y^2}$ 表示向量 z 的长度, 也即复数 z 到原点 0 的距离, 称为复数 z 的模; 如果 $z \neq 0$, 那么从实轴正向到向量 z 的夹角称为复数 z 的辐角 (如图 29). 如果记 $\rho = |z|$

为复数 z 的模, θ 为 z 的辐角, 则复数 z 有如下的三角表示

$$z = \rho(\cos\theta + \mathrm{i}\sin\theta).$$

在复数表示下, 圆周 $x^2 + y^2 = r^2$ 可以简单地表示为 $|z| = r$, 特别是, 单位圆周可表示为 $|z| = 1$.

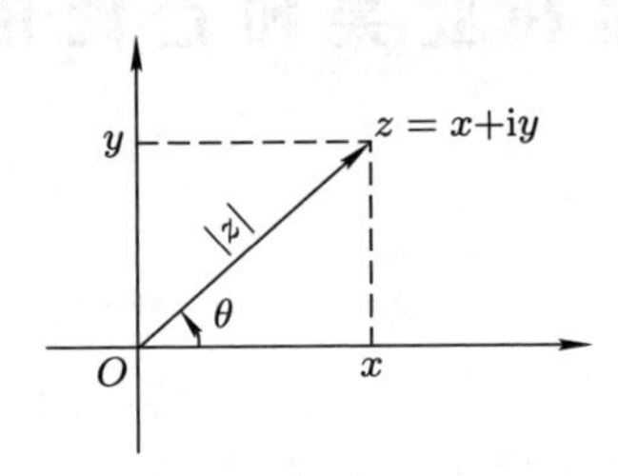

图 29　复数及其模和辐角

考虑复二次多项式

$$f_c(z) = z^2 + c,$$

这里, z 是变量, c 是一个复参数. 则 f_c 表示复平面 $\mathbb{C}$ 到自身的一个映射. 如果记 $z = x + \mathrm{i}y$, $c = a + \mathrm{i}b$, 则 f_c 在实坐标平面 Oxy 上可表示为

$$f_c: \quad x' = x^2 - y^2 + a, \quad y' = 2xy + b.$$

给定 $z \in \mathbb{C}$, 记

$$z_0 = z, \quad z_{n+1} = f_c(z_n), \quad n = 0, 1, 2, \cdots, \tag{29}$$

就得到一个复数列 $\{z_n\}$, 称为 f_c 的迭代序列, z 是这个迭代序列的初值. 我们可以将 $\{z_n\}$ 看作从初始点 $z_0 = z$ 出发, 按迭代规则 (29) 从 z_0 走到 z_1, z_1

走到 z_2, $\cdots\cdots$, 的运动轨迹. 那么, 对不同的初始点 z, 其轨迹 $\{z_n\}$ 会是怎样的呢? 特别是, 当步数 n 趋于无穷时, 点 z_n 最终会跑到哪里去呢?

我们先考虑最简单的情形 $c = 0$, 即函数 $f_0(z) = z^2$. 对给定的初始点 z, 其轨迹满足 $z_n = z_{n-1}^2 = z^{2^n}$. 利用复数的三角表示和三角公式容易验证, $|z_n| = |z_{n-1}|^2 = |z|^{2^n}$, 由此:

如果初始点 z 在单位圆周外部, 即 $|z| > 1$, 则其轨迹中的点到原点的距离 $|z_n|$ 随着步数 n 的增加迅速增大, 并随 n 趋于无穷而趋于无穷. 表明以 z 为初始点的轨迹会越来越远离原点, 并最终跑向无穷远.

如果初始点 z 在单位圆周内部, 即 $|z| < 1$, 则其轨迹中的点到原点的距离随着步数 n 的增加越来越小, 表明以 z 为初始点的轨迹逐步靠近原点 0, 并最终趋向于 0.

如果初始点 z 在单位圆周 $|z| = 1$ 上, 则其轨迹中的点恒满足 $|z_n| = 1$, 即永远保持在单位圆周上, 既不会趋向于原点, 也不会跑向无穷远.

这样, 初始点所在的复平面 (我们称其为 z-平面) 被划分成两个部分: 在单位圆外部, 初始点在 f_0 的迭代下的轨迹 $\{z_n\}$ 是无界的, 并最终逃逸至无穷远; 而在单位圆内部 (包含单位圆周), 初始点的轨迹是有界的, 永远被限制在单位圆内, 不会逃逸. 两个集合的分界线单位圆周 $|z| = 1$ 被称为 f_0 的茹利亚 (Julia) 集 (见图 30(a)).

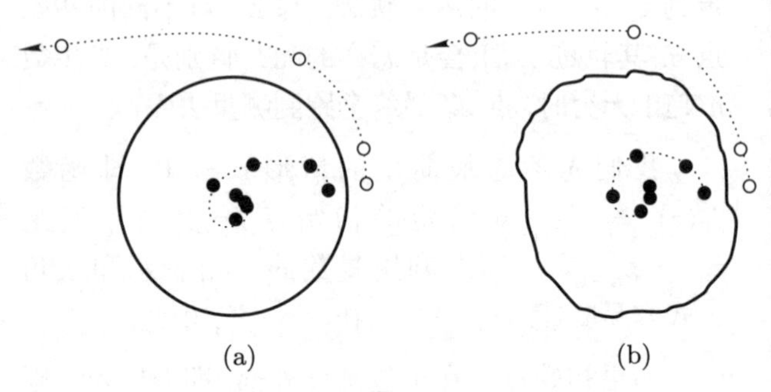

图 30　在 (a) $f_0(z) = z^2$ 和 (b) $f_c(z) = z^2 + 0.1 + \mathrm{i}0.1$ 的迭代下点的运动轨迹和茹利亚集

现在我们在 $f_0(z)$ 上加上一个非常小的复数 c 变为 $f_c(z) = z^2 + c$, 比如 $c = 0.1 + \mathrm{i}0.1$. 此时, z-平面上的初始点在 f_c 的迭代下的轨迹仍然保持两种不同状态: 或者迅速增大, 并最终逃逸至无穷远; 或者总是有界的, 不会逃逸至无穷. 这两个部分的分界线是一条接近于圆周的封闭曲线, 其上的初始点的轨迹也永远保持在这条曲线上. 不过, 与圆周不同的是, 此时这条曲线不再光滑, 而是一条处处不光滑的分形曲线 (见图 30(b)). 如同前面的单位圆周, 这条曲线称为 f_c 的茹利亚集.

这种情况对一般的二次多项式 $f_c(z) = z^2 + c$ 都成立, 即初始点所在的 z-平面也被分成两个部分:

$$A_c = \{z \in \mathbb{C} : z \text{ 的运动轨迹 } \{z_n\} \text{ 逃逸至无穷远}\}$$

和

$$K_c = \{z \in \mathbb{C} : z \text{ 的运动轨迹 } \{z_n\} \text{ 有界}\},$$

分别称 A_c 为 f_c 的**逃逸集**, K_c 为 f_c 的**填充茹利亚集**. 而 K_c 的边界 (同时也是 A_c 的边界) 称为 f_c 的**茹利亚集**, 记为 J_c.

显然 J_0 就是单位圆周, 当 c 很小时, J_c 是一条简单的封闭曲线. 但对一般的 c, 茹利亚集 J_c 将不再是一条简单的封闭曲线, 可以变得非常复杂, 并随着 c 的不同, 它的形状各不相同, 千变万化, 除了极少数例外外, 每一个都具有精细的自相似结构, 形成一个个美丽的分形! 和前面的科赫曲线、谢尔平斯基三角等严格自相似分形不同, 茹利亚集在自相似中带有变化, 因而其展示的分形更为复杂, 也更加生动. 图 31 显示了一些典型的茹利亚集, 充分展示了茹利亚集这个分形家族中众成员的多彩身姿.

对于逃逸集 A_c 中的点, 其在 f_c 迭代下的轨迹总是逃逸至无穷远. 但是, 对 A_c 中不同的初始点, 其轨迹的逃逸速度是不相同的, 越远离茹利亚集, 逃逸速度越快, 而越靠近茹利亚集, 其逃逸速度越慢. 如果我们将 A_c 中的点按其轨迹的逃逸速度的大小标记上不同的颜色, 可以得到一幅能区分逃逸速度的彩色分形图, 它不仅可以让我们更好地理解茹利亚集的生成过程, 还给我们带来了更美的视觉感受. 图 32 展示的是图 31 中 (f) (g) (h) 所展示的茹利亚集彩色版, 它们显得非常美丽, 左图 (a) 看上去像一条腾飞于蓝天的火龙, 中图 (b) 形似深海中的海马, 而右图 (c) 像一丛盛开的菊花.

(a) 菜花茹利亚集 ($c=1/4$)

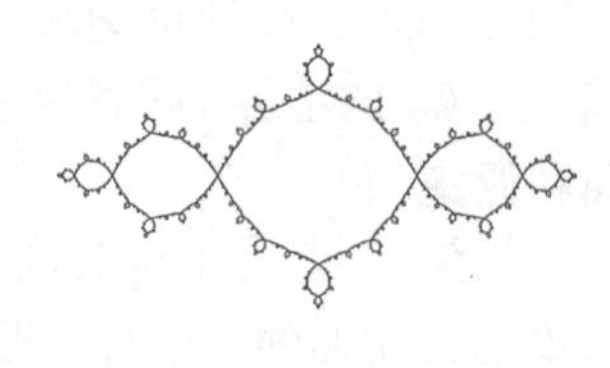

(b) 城堡茹利亚集 ($c=-1$)

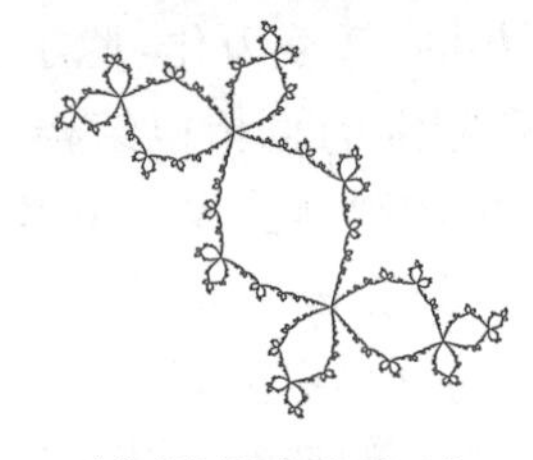

(c) 杜阿迪兔茹利亚集 ($c=-0.123+\mathrm{i}0.745$)

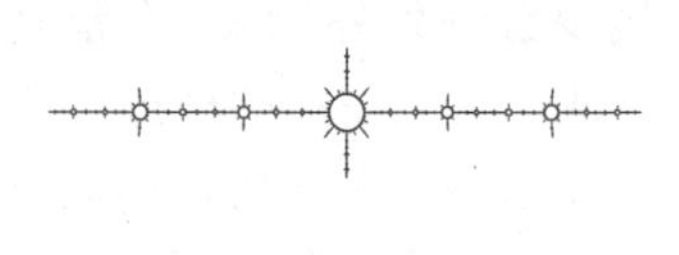

(d) 飞机茹利亚集 ($c=-1.7545$)

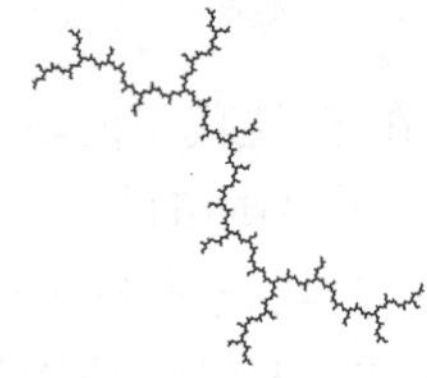

(e) 树枝状茹利亚集 ($c=\mathrm{i}$)

(f) 龙茹利亚集 ($c=-0.832+\mathrm{i}0.23$)

(g) 海马茹利亚集 ($c=-0.74543+\mathrm{i}0.11301$)

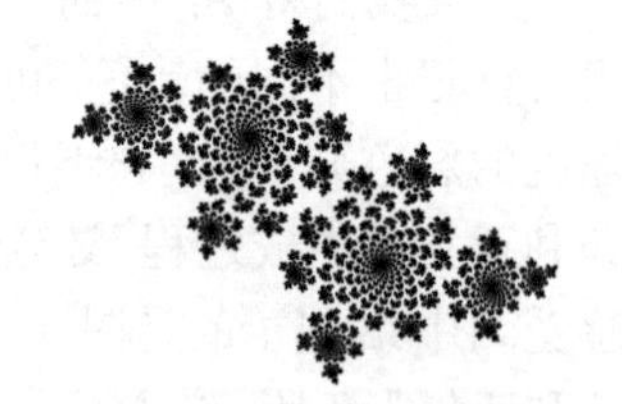

(h) 康托尔型茹利亚集 ($c=-0.4+\mathrm{i}0.6$)

图 31　一些典型的茹利亚集

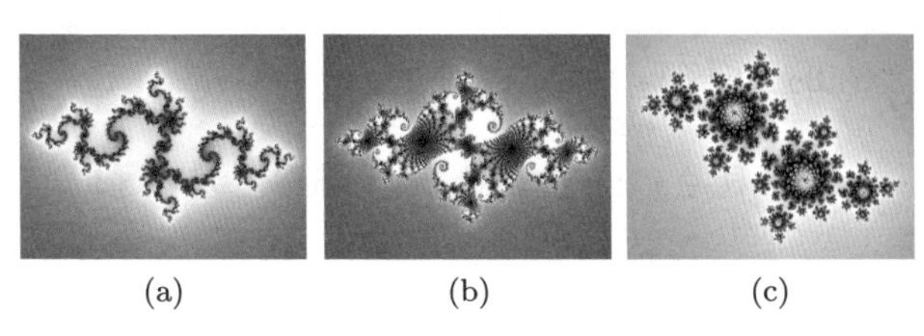

(a) (b) (c)

图 32 用不同色彩在逃逸集中标记了逃逸速度的茹利亚集

茹利亚集和迭代函数系统也有密切关联. 事实上, $f_c(z)=z^2+c$ 有两个反函数 $\varphi_1(z)=\sqrt{z-c}$ 和 $\varphi_2(z)=-\sqrt{z-c}$, $\{\varphi_1,\varphi_2\}$ 也构成一个迭代函数系统. 如果我们取 E_0 是 f_c 的茹利亚集上的一个点, 并记

$$E_{n+1}=\varphi_1(E_n)\cup\varphi_2(E_n),\quad n=0,1,2,\cdots,$$

那么, 随着 n 的增加, E_n 将最终逼近 f_c 的茹利亚集 J_c. 与第六节中的迭代函数系统稍有不同的是, 这儿的映射 φ_1,φ_2 不再是相似变换, 而更为复杂一些, 因而得到的茹利亚集也比第六节中的分形更为复杂生动.

对多项式 $f_c(z)=z^2+c$ 而言, $z=c$ 是一个特别的点, 它只有一个原像 0, 而其他点都有两个原像. 如果我们取初始点 $z=c$, 就得到关于参数 c 的迭代序列 $\{c_n\}$, 即

$$c_0=c,\quad c_{n+1}=f_c(c_n),\quad n=0,1,2,\cdots.$$

$\{c_n\}$ 也可以视作 c 在 f_c 迭代下的轨迹. 对不同的参数 c, 其轨迹 $\{c_n\}$ 也有两种不同的状态: 或者逃

逸至无穷远, 或者保持有界. 这样, 就可以将参数 c 所在的平面 (c - 平面) 也划分成两个部分:

$$\mathcal{A}=\{c\in\mathbb{C}:c\text{ 的轨迹 }\{c_n\}\text{ 逃逸至无穷远}\}$$

和

$$\mathcal{M}=\{c\in\mathbb{C}:c\text{ 的轨迹 }\{c_n\}\text{ 有界}\}.$$

称 $\mathcal{A}$ 为**逃逸参数集**, 而称 $\mathcal{M}$ 为**芒德布罗集** (见图33). 左边彩图的黑色部分为芒德布罗集 $\mathcal{M}$, 而彩色部分为逃逸参数集 $\mathcal{A}$, 不同色彩表示不同的逃逸速度, 蓝色越深逃逸速度越快. 右边黑白图显示芒德布罗集的复杂边界.

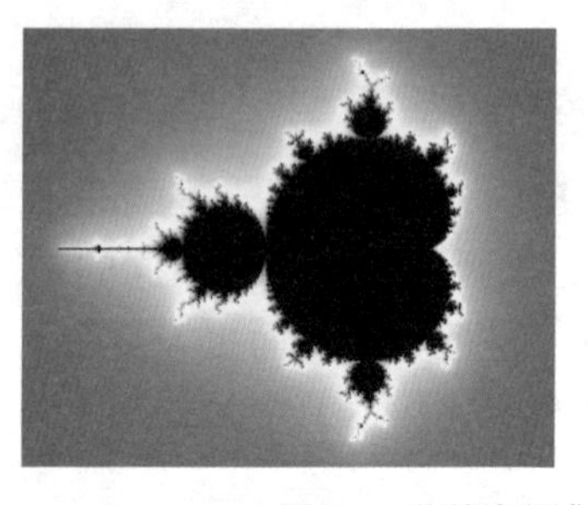

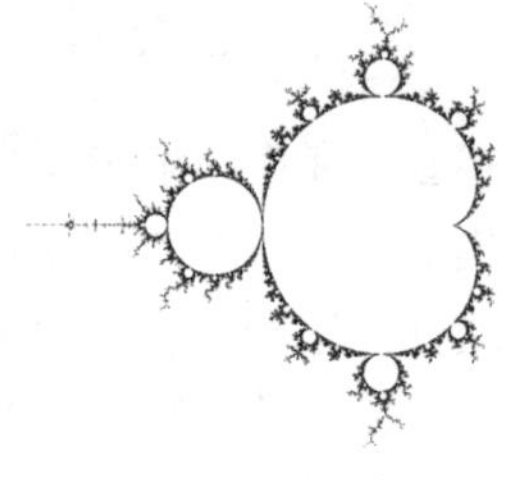

图 33　芒德布罗集及其边界

芒德布罗集是一个典型的分形集合, 由此可以看到比茹利亚集更为神奇复杂的分形结构. 我们知道, 对不同的参数 c, 对应的茹利亚集 J_c 具有不同的分形结构, 但对固定的参数 c, 茹利亚集 J_c 的局部结构和整体结构相差不大. 但芒德布罗集却更为神奇, 在其边界上不同的地方, 其局部的细节可以千差万别. 我们首先看到, 在芒德布罗集中间的心形区域边界上长有大小不同的"芽苞","芽苞"上长有更小的"芽苞". 在"芽苞"的顶端还长有枝丫,这些枝丫形态各异,在末端产生分叉,并有不同的分叉数. 仔细观察芒德布罗集的边界,我们还可以进一步看到其千姿百态、变化无穷的分形结构 (见图 34). 事实上,在芒德布罗集上的每个参数 c,都对应于一个二次多项式 f_c,从而对应于一个茹利亚集 J_c. 法籍华人数学家谭蕾证明了:对芒德布罗集边界上的参数 c,芒德布罗集在 c 附近的细节和茹利亚集 J_c 在 c 附近的细节非常相似. 这说明了芒德布罗集集合了各种茹利亚集的分形特征于一身,因而更为复杂而精妙. 从图 34 中我们可以看到芒德布罗集边界上所包含的茹利亚集的身影 (可分别比较图 34(a) 左上角和图 31(e),图 34(b) 和图 32 (a),以及图 34(c) 和图 32(b)).

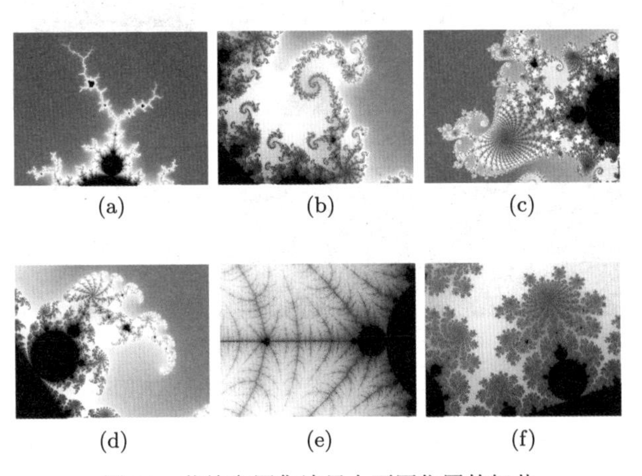

(a) (b) (c)

(d) (e) (f)

图 34 芒德布罗集边界上不同位置的细节

现在我们从另一个角度观察芒德布罗集：在边界上某一点附近逐步放大观察在该点处的细节，如图 35（后一幅图是将前一幅图中小矩形框放大所得），我们又一次看到了芒德布罗集的神奇．在逐级放大的过程中，既可以看到某些局部细节的相似性，而对这些图案整体比较又全然不同，它们中有优美的螺线、葵花的花盘、漫天的繁星．最后在一幅幅精致的图案里，居然还隐藏着一个被美丽花环围绕的迷你芒德布罗集．这个迷你芒德布罗集有多大呢？如果假设最初那个芒德布罗集有足球场那么大，那么这个迷你芒德布罗集比芝麻还要小，而这样的迷你芒德布罗集在原芒德布罗集的边界上到处都是，布满了整个芒德布罗集的边界，真是奇妙无比．

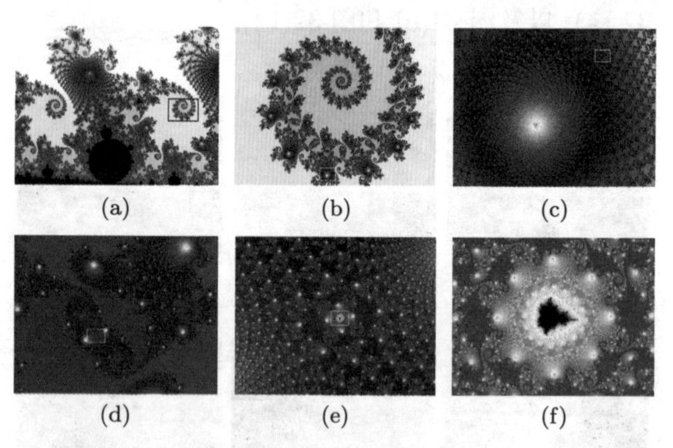

图 35　芒德布罗集边界某处局部逐级放大的细节

芒德布罗集仅由一个简单的二次多项式经过简单的重复迭代产生，但它却展现出了变幻莫测、精美绝伦的神奇魅力, 人们一见到它就被其美丽和神奇所征服. 如今, 芒德布罗集已成为分形几何学的一个标志性符号, 它为数学世界增添了一抹亮丽的色彩.

八、随机分形

前面几节介绍了数学中几种典型分形集合，这些分形集合尽管十分复杂但还是相当有规律. 但是我们实际生活中遇到的分形对象 (比如自然界中的复杂地形、山峦轮廓、云彩边缘等) 情况却不太一样, 没有那么有规律. 尽管它们具有局部和整体同样复杂的分形特征, 但没有像科赫曲线那样严格的自相似性, 局部和整体只是 “看上去相似”. 这是由于自然界在形成过程中, 受到了大量随机因素的影响, 最终形成什么样的形状具有不确定性, 因而我们看到的任何两座山的轮廓、任何两片云彩的形状都不会完全相同. 要很好地描述或模拟自然界的分形对象, 也需要在生成分形的过程中引入随机因素.

如何引入随机因素? 我们还是以科赫曲线为例. 回忆科赫曲线的生成过程: 将每条直线段三等分, 用等边三角形的两边替代中间一段, 也就是说在中间生长出一个三角形. 在构造科赫曲线的每一步, 我们总是向线段确定的一侧长出一个三角形, 最后得到一个复杂但很有规律的科赫曲线. 但是, 线段有两侧, 要长出一个三角形实际上有两个方向可以选择, 比如在第一步, 三角形既可以向上生长、也可以向下生长, 以后每一步都如此. 现在我们修改科赫曲线的构造方法: 每一次在线段中间长出一个三角形时, 我们让其随机地选择向线段的某一侧生长. 比如, 我们可以扔一个硬币, 如果出现正面, 则向上生长; 如果出现反面, 则向下生长. 依次类推, 最后也可得到一条复杂的分形曲线, 这就将科赫曲线随机化了, 我们称其为**随机科赫曲线**. 要注意的是, 随机科赫曲线并非只是一条确定的曲线, 随着构造过程中三角形生长方向选择的不同, 最终得到的随机科赫曲线也会不一样, 但它们的分形特性是类似的, 比如它们的分形维数都是 $\log 4/\log 3$. 图 36 显示了一条随机科赫曲线以及它的生成过程, 它不再像原科赫曲线那样有规律, 但看上去却更像真实的海岸线了, 用它来模拟海岸线显然要比原科赫曲线合适多了.

用于模拟自然界的随机分形的典型代表是**布朗运动**和**分式布朗运动**. 所谓布朗运动, 是悬浮在空气或液体中的微小粒子所作的无规律随机运动, 如空气中水分子的运动, 它由英国植物学家罗伯特 · 布朗 (Robert Brown, 1773—1858) 首先观察到. 我们也可以将粒子限制在平面和直线上随机运动, 得到平面和直线上的布朗运动.

考虑直线上的布朗运动, 此时粒子在直线上每一时刻可随机地向左或向右移动. 假定粒子位于数轴上, 记粒子在 t 时刻的位置为 $B(t)$, 则 $B(t)$ 是一个随机函数, 即直线上的布朗运动可以用随机函数

$B(t)$ 表示. $B(t)$ 的图像是一条随机曲线, 称其为**布朗曲线** (如图 37). 人们已经知道, 几乎所有的布朗曲线都是分形曲线, 并有分形维数 3/2. 从图中看到, 它和某些山脉的轮廓比较相像, 可以用来模拟山脉轮廓等自然界的分形对象.

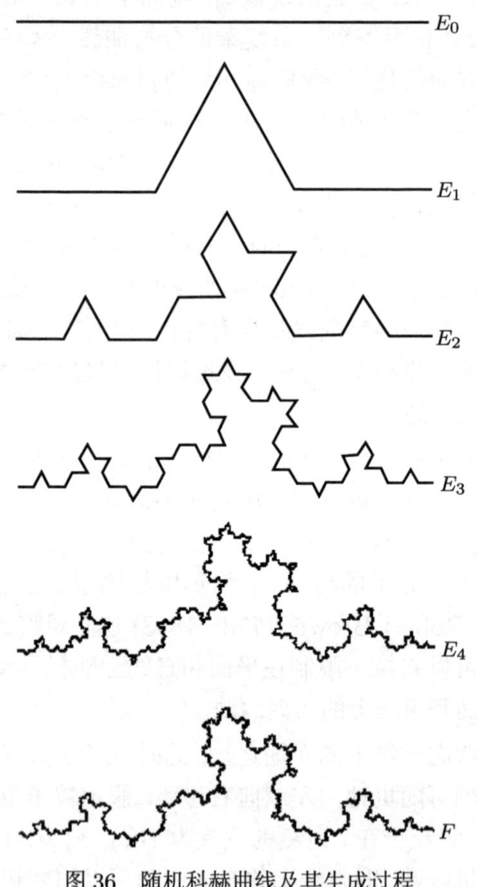

图 36　随机科赫曲线及其生成过程

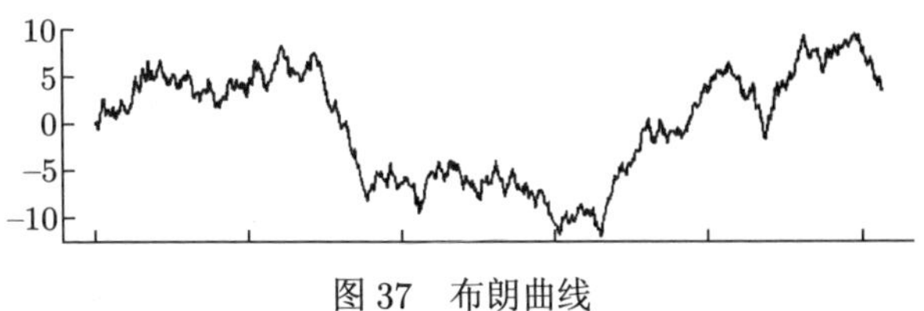

图 37　布朗曲线

鉴于自然界中像山脉轮廓这样的分形对象有不同的分形维数，芒德布罗将布朗运动作了推广，引入了分式布朗运动 $B_\alpha(t)$，其中 $\alpha \in (0,1)$ 是一个参数，其所对应的函数图像 (称为**分式布朗曲线**) 具有分形维数 $D = 2 - \alpha$，而 $\alpha = 1/2$ 时就是标准的布朗运动. 图 38 给出了不同参数 α 的分式布朗曲线，它们的分形维数分别是位于 1 到 2 之间的不同数值，从中我们可以看出用它们模拟山脉轮廓是非常合适的.

当然，仅仅模拟山脉轮廓是不够的，还不足以体现出分形在描述自然现象方面的作用. 芒德布罗及其研究团队进一步引入了**二元分式布朗函数** $B_\alpha(x,y)$ 以及相应的函数图像——**分式布朗曲面**. 一系列用计算机生成分式布朗曲面的方法已被开发出来，如中点插值法、快速傅里叶变换法、魏尔斯特拉斯 – 芒德布罗函数法等. 结合计算机图形学，一幅幅用计算机绘制的足以乱真的立体分形地貌图被绘制出来，展现出一幅幅美丽而虚拟的自然风景. 图 39 是一幅利用布朗运动和分式布朗运动，由计算机绘制的图片，作为插页彩图发表在芒德布罗的名著《自然界的分形几何》中. 它看似是一张在月球上拍摄的地球照片，但仔细观察可以发现，那颗星球上的大陆并非我们熟知的五大洲. 事实上, 它是一颗虚拟行星, 是用分形维数为 2.5 的布朗曲面模拟出来的 (将生成的分形曲面上小于某一数值的部分归零成为海平面, 并将其弯曲后置于球面上). 而前方地貌也不是真实月球上的地貌, 而是用分形维数为 2.2 的分式布朗曲面模拟的. 此图的发表让人们对芒德布罗的分形理论大为折服, 相信了地形地貌确实是一种分形.

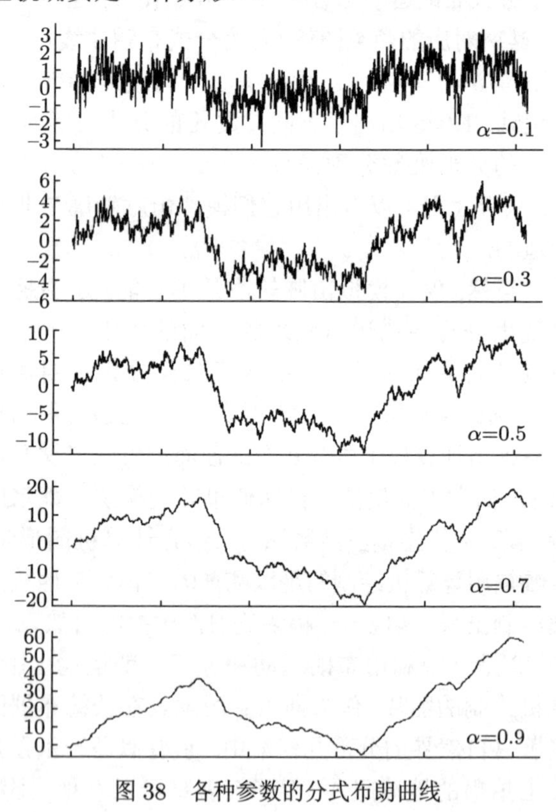

图 38　各种参数的分式布朗曲线

图 39　分形地貌和分形行星

利用不同维数的分式布朗曲面, 以及对分式布朗曲面做一些变形, 可以模拟不同类型的地貌. 下面几幅地貌风景图 (图 40) 最初也是来自于芒德布罗的《自然界的分形几何》一书, 是不是觉得它们似曾相识? 似乎我们可以在地球上的某些地方找到它们, 但实际上它们都是用分形模拟的虚拟风景, 并非地球某处的真实存在. 图 40 的前三幅图片 (a)(b)(c) 是同一地貌通过改变分形维数由计算机模拟所得, 其分形维数分别是 $D = 2.15$,2.5,2.8; 图片 (d) 和图片 (a) 使用了同一分式布朗曲面, 只是着色不同; 而最后两幅图片是将图片 (d) 中的高度分别求三次方和开三次方后所得, 它们都有相同的分形维数 $D = 2.15$.

图 40　计算机模拟的分形风景

这些分形地貌图和现实世界中的自然对象如此相像, 充分体现出分形在描述自然界特征方面的强大作用, 科学家们不得不承认分形确实是一种适合于描绘大自然的几何学. 结合分形在其他科学领域的成功应用, 分形这一门新兴的学科迅速被科学家们所接受, 并渗透到了自然、技术和经济等科学领域, 成为现代科学的一个重要方向.

九、美丽的分形

分形几何是数学的一个分支. 对于数学家来说, 数学之美令人陶醉, 但数学审美很难为一般人所理解, 人们难以从那些抽象的符号、公式中体会出其美妙. 与传统数学不同的是, 分形几何将数学之美通过计算机绘图直观地展现在人们面前, 赏心悦目、让人们能够从视觉上欣赏到数学内在的美. 在上世纪八十年代分形开始为人们所熟知的同时, 以德国不来梅大学的帕特根 (H. -O. Peitgen) 等为代表的数学家和计算机科学家利用当时最先进的计算机图形工作站绘制了大量美丽的分形图案 (如图 41), 并出版了《分形之美》(*The Beauty of Fractals*) 和《分形图像的科学》(*The Science of Fractal Images*) 等著作, 书中不仅展示了分形之美, 还介绍了制作分形的各种方法和技巧.

分形之美如此引人入胜, 不仅分形学家沉醉其中, 也吸引了其他科技工作者和大批普通爱好者成为分形的粉丝. 而分形图案可以用一些简单函数的迭代通过计算机绘制出来, 这使得普通爱好者也能绘制出漂亮的分形. 大量分形制作软件也被开发出来, 如最早的 Fractint, 功能强大的 Ultra Fractal, 以及国产的 Ferryman Fractal 等, 而和分形相关的大量网站也被建立起来, 一幅幅漂亮的分形图案被制作出来, 如今可以很容易地在互联网上搜索到它们. 分形图案的作者们或者在芒德布罗集这个无穷无尽的库藏中尽情挖掘其神秘美丽的细节; 或者对分形图案进行再创作, 通过色彩、光影的渲染, 使得分形图案更具艺术感染力 (图 42). 从此, 计算机制作的分形图案成为了一种新的艺术形式——**分形艺术**. 分形艺术是科学和艺术的完美结合: 一方面, 对科学内容很少关注的艺术家们, 也开始以分形为内容用计算机绘图手段创作无比神奇的艺术作品, 使艺术走进了科学的领地; 另一方面, 分形艺术极具魅力, 不仅被制作成了画册、挂历、明信片, 甚至进入美术馆的展厅, 接受艺术鉴赏家的评判, 科学也从此进入了艺术的殿堂!

图 41　《分形图像的科学》中的分形图[5]

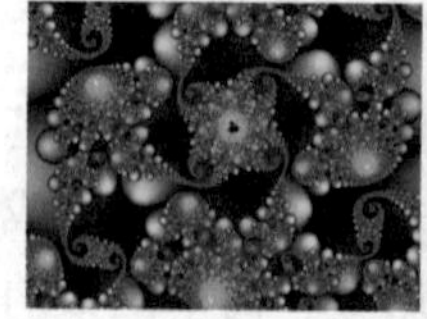  

图 42　分形艺术

分形艺术还被引入各种艺术领域, 分形风景和动画被推向好莱坞影视业, 用于电影制作. 如《星际旅行之二: 可汗之怒》《最后的星球斗士》等好莱坞影片就使用了分形动画. 另外, 分形艺术及其无穷自相似的思想还在广告设计、服装面料设计、珠宝设计等方面得到应用. 著名珠宝设计师马克 · 纽森 (Marc Newson) 为珠宝公司宝诗龙设计的一款项链——茹利亚项链 (图 43), 其灵感就来自著名的茹利亚集分形. 它利用 2 000 颗精选钻石与蓝宝石, 精准细腻地排列出大大小小的漩涡状, 从浅到深的各色蓝宝石堆栈出整体的层次感, 极具视觉冲击力, 这是分形设计的典型案例之一.

图 43　茹利亚项链

后 记

本书的写作得到了李大潜先生的大力支持和鼓励，没有李先生的鼓励我无法完成本书的撰写. 在写作过程中，李先生不仅在写作框架及选材方面给予指导，还多次阅读并亲自对初稿作了大量修改，让稿件增色许多. 对此，我深表感谢! 另外，由于本人才疏学浅，本书的写作拖了很长时间，也非常感谢李先生的宽容. 最后，陈纪修教授、杨飞博士等阅读了本书初稿，也对本书提出了宝贵意见，杨飞博士还帮助绘制了部分插图，在此一并感谢!

参 考 文 献

[1] 丘光明, 邱隆, 杨平. 中国科学技术史: 度量衡卷. 北京: 科学出版社, 2001.

[2] MANDELBROT B B.How long is the coast of Britain? Science, 1967,156.

[3] MANDELBROT B B.The fractal geometry of nature. New York: W. H. Freeman and Company, 1982.

[4] FALCONER K. A very short introduction to fractals. Oxford: Oxford University Press, 2013.

[5] PEITGEN H -O, SAUPE D. The sciences of fractal images. New York: Springer-Verlag, 1988.

读者意见反馈

为收集对教材的意见建议，进一步完善教材编写并做好服务工作，读者可将对本教材的意见建议通过如下渠道反馈至我社。

咨询电话 400-810-0598

反馈邮箱 hepsci@pub.hep.cn

通信地址 北京市朝阳区惠新东街4号富盛大厦1座

高等教育出版社理科事业部

邮政编码 100029